超時短Photoshop

レイヤーとスタ

速攻アップ！

Adobe Photoshop CC 2017: In-app search / Tighter integration with Adobe XD / Ways to get started faster / Adobe Stock templates and search / Enhanced Properties panel / Support for SVG OpenType fonts / New Creative Cloud Libraries capabilities / Creative Cloud Assets improvements Introducing Typekit Marketplace / Better overall performance Adobe Photoshop CC 2015.5: Better collaboration with libraries / Updated Libraries panel / Selection and Masking Space / Everyday tasks, accelerated Content-Aware Crop / Match Font / Improved artboards Export enhancements / Facial feature adjustment Adobe Portfolio to showcase work and so much more...

吉田浩章 著

技術評論社

JN255777

はじめに

筆者が Photoshop と付き合い始めたのは、バージョンが確か2の頃。当時の Photoshop は、電線などの不要なものを消す、というのが主な役割だった気がします。その後、DTP が進化・普及するにつれ、Photoshop は画像を整えるだけでなく加工するためにも使われるようになり、やがて Web を含めたデザインの分野でも、なくてはならないものになりました。

Photoshop の機能はバージョンを追うごとに多様で複雑になってきています。そのため、作業を効率化するショートカットなども充実しています。今回、本書を記すに当たって改めて Photoshop を効率よく使うための方法を調べてみましたが、思った以上に膨大でした。ネットで公式に公開されているショートカット一覧もあるので、本書でカバーしきれなかったものについてはそういった情報も参考にしてください。

さて、本書は Photoshop のレイヤー機能をベースに捉えながら、Part1 ではショートカットを含めた効率的な使い方のあれこれについて紹介しています。覚えておくとより素早く手足のように Photoshop を使えるようになるでしょう。Part2 のレイヤースタイルや描画モードですが、こちらはイメージする表現に素早くたどり着くために、基本の機能と全体像を理解してもらうことを意図しました。Photoshop を使ったデザイン加工に役立つかと思います。Part3 は調整レイヤーとマスクについてですが、特にレイヤーマスクを使った表現方法について触れています。より高度な表現を得るために、マスクはぜひとも理解し、マスターしたい機能です。

本書に取り上げた内容は、普段 Photoshop の使用中に感じる「もっと素早く便利に使いたい」「こんな表現がしたい」といった疑問を解消し、かつ、デザインアイデアの実現をサポートしてくれるものと思います。本書が皆さんの幸せな Photoshop ライフに貢献し、覚えた知識やスキルが財産となれば幸いです。

2017年8月

吉田浩章

本書の使い方

本書は Photoshop のレイヤーとレイヤースタイル（レイヤー効果）に関する、知っておくとレタッチ・デザイン作業の効率が上がる Tips を作例を用いて紹介しています。覚えておくと時間短縮になるショートカットキーの紹介からはじまり、複雑なレイヤースタイルを使いこなすときに意味のわかりにくい設定項目のひとつひとつの効果が理解できるように実例で説明しています。

Photoshopのバージョンについて

Photoshop は執筆時点の最新バージョン CC 2017に基づいて、また環境設定などは初期状態として解説しています。サブスクリプション（定期利用）プランである CC（Creative Cloud）は随時バージョンアップされており、新しい機能が追加されています。新機能は作業の効率化に結びつくものが多いため、古いバージョンで使用されている場合は、最新版にして利用されることをおすすめします。CS6以前のバージョンでは利用できない機能が含まれてる場合があります。例えば Tip01「背景をレイヤーに変えるには」において、「背景」の鍵のボタンをクリックすることで「レイヤー 0」にする方法は CC 2014から可能になったものです。

もし Tips がお使いのバージョンで利用できないようなら、以降に追加された機能の可能性があります。Photoshop のバージョンアップの時期ごとの新機能は Adobe 社のサイト https://helpx.adobe.com/jp/photoshop/using/whats-new.html で紹介されています。ご確認のうえ、CC の利用をご検討ください。

キー表記について

本書では Windows を使って解説をしています。掲載した Photoshop の画面とショートカットキーの表記は Windows のものですが、Mac でも（小さな差異はあっても）同様ですので問題なく利用することができます。ショートカットで用いる機能キーについては、Mac と Windows は以下のように対応しています。本書でキー操作の表記が出てきたときは、Mac では次のとおり読み替えて利用してください。

Windows		Mac
Ctrl	=	⌘（command）
Alt	=	Option
Enter	=	Return
右クリック	=	Control ＋クリック

作例ファイルについて

本書で使用している作例ファイルはサンプルとして利用できるようになっています。弊社ウェブサイトからダウンロードできますので、以下の URL から本書のサポートページを表示してダウンロードしてください。その際、下記の ID とパスワードの入力が必要になります。

http://gihyo.jp/book/2017/978-4-7741-9252-9/support

[ID] jitanps	[Password] layer

ファイル容量が大きいため、ダウンロードには時間がかかる場合があります。またご利用のインターネット環境や時間帯により、うまくダウンロードできないことがありますので、その場合は異なる環境を試したり、時間を空けて再度お試しください。

任意のサービスですのでファイルの取得から利用までご自身で解決していただき、ダウンロードに関するお問い合わせはご遠慮ください。

ソフトウェアについてのご注意

● Adobe Photoshop CC アプリケーションはご自身でご用意ください。デスクトップアプリケーションの Photoshop で、モバイル向け Photoshop Fix / Mix / Sketch ではありません。

●同じ Adobe 社の販売している Photoshop Elements は、本書で解説している Photoshop CC とは別のソフトになります。本書は対応しておりませんので、ご注意ください。

●ソフトウェアの不具合や技術的なサポートが必要な場合は、アドビシステムズ株式会社ウェブ上の「アドビサポート」ページをご利用いただくことをおすすめします。https://helpx.adobe.com/jp/support.html

Contents

Part **3**　調整レイヤーとレイヤーマスク

基本技で
スピードアップ

背景をレイヤーに変えるには

[レイヤーパネルで「背景」の鍵のボタンをクリック
または「背景」をダブルクリック]

「背景」は厳密にはレイヤーではなく、そのままでは、拡大、縮小、ゆがみなどの変形操作や反転処理などを行うことができません。レイヤーパネルで「背景」の横にある鍵のボタンをクリックするか、「背景」の部分をダブルクリックすることで、「背景」をレイヤーに変換することができます。

1 画像を開いたらレイヤーパネルを確認しましょう。「背景」があり、その横に操作できない状態を示す鍵のボタン[レイヤーの部分ロック]があります。これをクリックします。

2 「背景」が「レイヤー0」に変わり❶、鍵のボタンが消え❷、操作可能な状態になります。

レイヤーに変換するときにレイヤー名も決める

鍵のボタンを押すと自動的に「レイヤー 0」というレイヤー名になりますが、レイヤーに変えると同時に任意の名前もつけてしまいたいなら「背景」をダブルクリックします。

1 レイヤーパネルで「背景」をダブルクリックしても
レイヤーにすることができます。

2 ダブルクリック後に［新規レイヤー］ダイアログ
ボックスが表示されますので、［レイヤー名］を
入力して❶［OK］をクリックします。必要に応じて［カ
ラー］❷［描画モード］❸［不透明度］❹の指定を行うこ
とができます。

(**Point**)

レイヤー名はあとから名前部分をダブルクリックして
変更することもできます。レイヤーパネルでレイヤー
をダブルクリックするときは、レイヤー名❶とそれ以
外の場所では反応が違うので注意が必要です。レ
イヤー名以外の場所❷をダブルクリックすると［レイ
ヤースタイル］ダイアログボックスが呼び出されます。

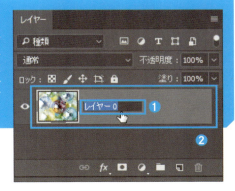

別の画像をペーストする際に カンバス中央に配置するには

↓

［ 2つの画像を開き、一方の画像を Shift キーを押しながら もう一方のウィンドウにドラッグ＆ドロップ ］

2つの（あるいはそれ以上の数の）画像を同時に開いて、一方からもう一方の画像ウィンドウにドラッグ＆ドロップすればレイヤーとしてコピーされます。そのとき、ペーストした画像の位置が最初からカンバスの中央に揃っているとあとの移動や変形の作業が効率的になります。それには Shift キーを押しながら画像をドラッグ＆ドロップします。同じサイズの画像の場合は、一度にピッタリと揃い、位置合わせの必要がなくなります。

1 複数の画像を同時に開いた状態で、［移動］ツールで一方の画像をもう一方の画像ウィンドウにドラッグ＆ドロップします。

 ［移動］ツール

Shift ＋ドラッグ

〔 Point 〕

メニューコマンドで一方の画像をコピーし（ Ctrl ＋ C キー）、もう一方の画像に移ってペーストしても（ Ctrl ＋ V キー）、画像は中央に配置されます。しかしコピーの前に元画像を Ctrl ＋ A キーですべて選択しておく必要があり、手順が増えます。

2 コピー先のカンバスの中央に画像がペーストされます。「レイヤー1」となります。

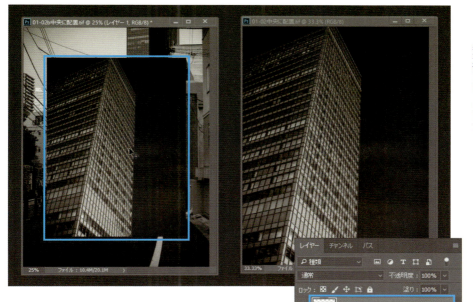

[Point]

Shiftキーを押さずにドラッグすると、元画像でマウスでつかんだ位置と放した位置が一致するようにそのオブジェクトがペーストされます。ただし、ドラッグ中は画像が見えないので、ドロップしてはじめて結果がわかります。また、2枚の画像の解像度が異なると、ペースト後の大きさが変わるのでカンバス内での配置の予想が難しくなります。

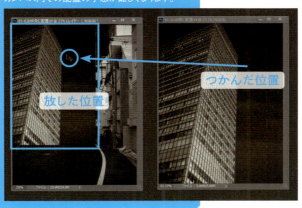

放した位置

つかんだ位置

Tip 03

レイヤーをクリッピングマスクの状態にするには

↓

[レイヤーパネルのレイヤー境界で Alt +クリックする]

クリッピングマスクとは、上下のレイヤーがある場合、下層のレイヤーの形で上層レイヤーを切り抜くという機能です。上層が写真、下層が文字の場合、写真が文字の形で切り抜かれます。クリッピングマスクを簡単に適用するには、レイヤーパネルで上下のレイヤーの中間にマウスを合わせた状態で、Alt キー＋クリックします。もう一度操作をするとクリッピングマスクは解除されます。

1 画像とレイヤーの状態です。上層のレイヤーが写真、下層のレイヤーが文字になっています。

② レイヤーの間にマウスを置いて、[Alt]キーを押しながらクリックします。

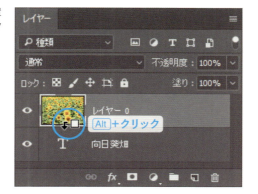

③ クリッピングマスクが適用され、この場合は文字の形で写真が切り抜かれます。クリッピングマスクが適用されたレイヤーは直角の矢印が表示され❶、一段右にずれた状態で表示されます。また、下層のレイヤーはレイヤー名に下線が付きます❷。

［ Point ］

上層レイヤーを選んだ状態で、レイヤーパネルのメニューから［クリッピングマスクの作成］を選ぶか、[Ctrl]＋[Alt]＋[G]のショートカットキーでもクリッピングマスクを作成できます。

Tip 04

レイヤーパネルで選択したレイヤーを画面上で確認するには

↓

[移動]ツール選択時にバウンディングボックスを表示

複数のレイヤーを配置している場合、画像とレイヤーの対応がわかりにくくなり、選択しているレイヤーの位置やサイズも把握しにくくなります。そのような場合は、そのレイヤーのバウンディングボックスを表示すると、すぐに位置とサイズを確認することができます。[移動] ツールを選び、オプションバーで [バウンディングボックスを表示] にチェックを入れると確認できます。

1 画像とレイヤーの状態。中間のレイヤーを選択していますが、上層レイヤーに隠れて選択中のレイヤーの位置やサイズがハッキリしません。

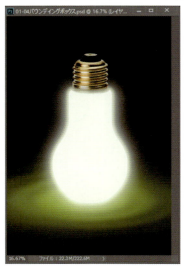

2 [移動]ツールを選び、オプションバーで[バウンディングボックスを表示]にチェックを入れます。

[移動]ツール

⊕ ∨ □ 自動選択： レイヤー ∨ ☑ バウンディングボックスを表示

③ バウンディングボックスが表示され、選択しているレイヤーの位置やサイズを確認できます。

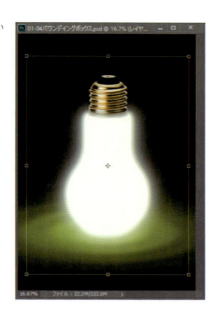

④ カンバスより大きなサイズを持っているレイヤーもその大きさがわかります。この状態でバウンティングボックスのハンドルをドラッグして変形、回転することができます。メニューから変形のコマンドを選択することなくできるので便利です。

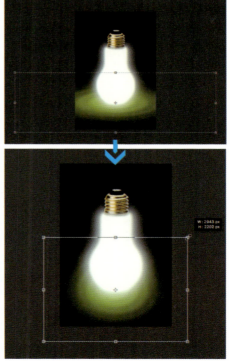

[Point]

Ctrl + T キーでもバウンディングボックスを表示できますが、この場合［編集］→［自由変形］のショートカットとなります。

複数のレイヤーを同時に表示・非表示したい

↓

[Ctrl + G キーで
複数のレイヤーをグループにまとめておく]

ひとまとまりの複数のレイヤーを、同時に表示・非表示をしたり、同時に移動したりしたい場合があります。それを可能にするのはレイヤーのグループ化です。グループレイヤーを作る方法はいくつかありますが、簡単なのはレイヤーパネルでグループにしたいレイヤーを同時に選択しておき、Ctrl + G キーを押すことです。

1 レイヤーパネルでグループにまとめたい複数のレイヤーをCtrlキー（飛び飛びに選択する場合）やShiftキー（連続して選択する場合）を押しながらクリックして選択し、Ctrl + G キーを押します。

[Point]

Ctrlキーを使って選択する場合はサムネール以外の部分をクリックします。

2 複数のレイヤーがグループにまとめられます。図では「グループ1」となっています。

3 わかりやすいように名前をつけておくといいでしょう。グループフォルダーの名前部分をダブルクリックし、名前を入力します。

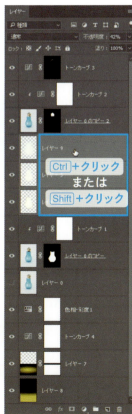

4. グループレイヤーの❯をクリックすることで、グループを展開したり、閉じ
たりすることができます。

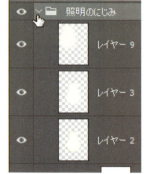

5. グループレイヤーの目のアイコンをクリックすると、グループレイヤーに
含まれるレイヤーすべての表示・非表示が行えます。

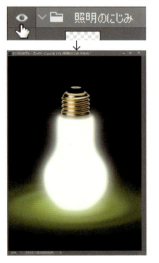

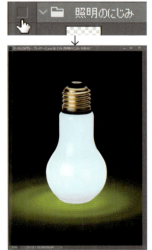

[Point]

複数のレイヤーを選択しておき、レイヤーパネルのメ
ニューから[レイヤーからの新規グループ]を選んで
も、グループ化することができます。その際、グループ
フォルダーの名前の入力を求めるダイアログが表示
され、名前をつけることができます。

Tip

06

グループ化されたレイヤーを同時に移動したい

↓

［移動］ツールで移動する際に、
オプションバーで［グループ］を選んでおく

グループ化された複数のレイヤーをグループ単位で同時に移動するには、［移動］ツール選択時のオプションバーで［自動選択］を選び、さらに［レイヤー］ではなく［グループ］を選んで実行します。こうしておくことで、グループではなくレイヤーを選んでいるときでも、グループ単位での移動が可能になります。

オプションバーで［レイヤー］を選んでいる場合

1 ［移動］ツールでグループにした画像を移動するとき、オプションバーで初期設定の［レイヤー］が選ばれてる状態では、このように上層にある1つのレイヤーだけが移動してしまうことがあります。

［移動］ツール

ドラッグ

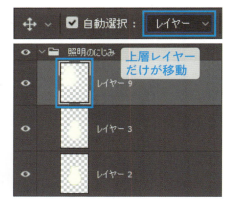

（ Point ）

レイヤーパネルでレイヤーではなくグループフォルダーが選ばれている場合は、［移動］ツールのオプションが［レイヤー］であるか［グループ］であるかに関わらず、グループ単位での移動ができます。

オプションバーで［グループ］を選んで移動

1 ［移動］ツールを選び、オプションバーで［自動選択］および［グループ］を選びます

［移動］ツール

2 移動前のレイヤーパネルと画像の状態です。レイヤーパネルでは、グループ外のレイヤーを選んでいます。

3 ［移動］ツールで電球の照明部分を左上に移動したところ。レイヤーパネルでは「照明のにじみ」のグループレイヤーが選ばれ、グループ内の3レイヤーとも移動しています。

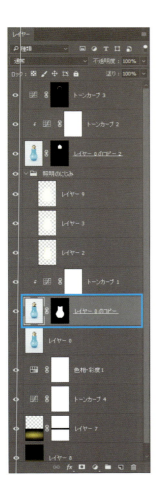

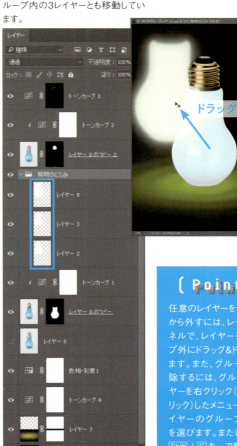

ドラッグ

[Point]

任意のレイヤーをグループから外すには、レイヤーパネルで、レイヤーをグループ外にドラッグ&ドロップします。また、グループを解除するには、グループレイヤーを右クリック（Alt＋クリック）したメニューから［レイヤーのグループ解除］を選びます。またはCtrl＋Shift＋Gキーで解除することができます。

複数のレイヤーを同時に移動したり、変形したりしたい

↓

[レイヤーパネルで複数のレイヤーを「リンク」させる]

複数のレイヤーを同時に移動したり変形したりするには、グループレイヤーでも可能ですが、リンクでも可能です。リンクの場合は、上下の階層が離れている（飛び石状態）レイヤーに対しても有効です。

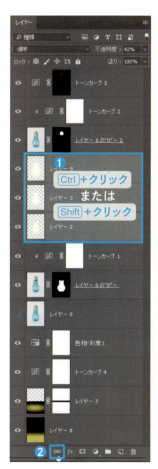

1 レイヤーパネルでリンクしたいレイヤーを Ctrl クリック（飛び石に選択する場合）または Shift ＋クリック（連続して選択する場合）して選択しておき❶、[レイヤーをリンク]ボタン❷をクリックします。

2 リンクされたレイヤーには、リンクのアイコンが表示されます。

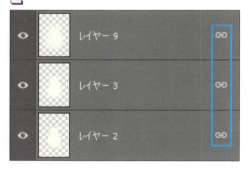

3 リンクされているうちの1つのレイヤーを選択した状態で❶、Ctrl ＋ T キー❷で[自由変形]を行ってみます。

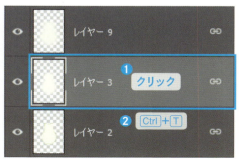

4 左上のハンドルを右下にドラッグして縮小してみます。画像ウィンドウではわかりにくいですが、レイヤーパネルを見ると、リンクされた3つのレイヤーが選択され、変形されていることがわかります。[移動]ツールで移動する場合も、まとめて1つのレイヤーのように動かせます。

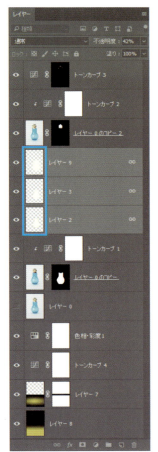

(Point)

リンクを解除するには、リンクされたレイヤーをどれか選択したのち、再び[レイヤーをリンク]ボタンをクリックします。

Tip 08

リンクされたレイヤーの一部を
個別に移動したり変形させたい

↓

[リンクアイコンを Shift ＋クリックして
レイヤーのリンクを一時的に無効に]

リンク自体を解除せず、一時的にリンクを無効にすることができます。レイヤーパネルでリンクされたレイヤーのリンクアイコンを Shift キー＋クリックすると、リンクが一時的に無効になります。その状態でなら、選択したレイヤーのみを移動したり変形したりすることができます。

1 3つのリンクされたレイヤーがありますが、一番下のレイヤーのリンクアイコンを Shift ＋クリックすると、[×]マークが付いて、リンクが一時的に無効になります。

2 リンクを無効にした状態では、そのレイヤーだけに対して移動や変形が可能です。図は移動したところです。

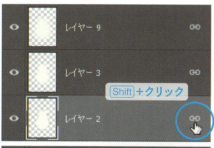

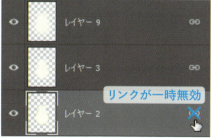

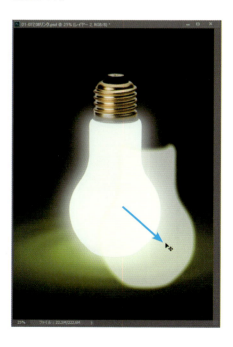

[Point]

変形や移動の編集のあと、[×]マークを再び Shift キー＋クリックすると、リンクが復活します。

透明部分の市松模様を変更したい

↓

[環境設定]の[透明部分・色域]で変えることができます。

レイヤーに透明部分がある場合、初期設定では薄いグレーの市松模様が表示されます。これの市松模様は、[環境設定]の[透明部分・色域]で変えることができます。変えられるのは市松模様の大きさ（3サイズ）と、市松模様の色、およびその背景の色となります。また、全くの透明にすることもできます。

1 レイヤーの透明部分の市松模様（初期設定）です。編集する画像によっては格子の大きさや模様の色を変えたほうが見やすい場合があります。

2 ショートカットキーCtrl＋Kで[環境設定]を開いて[透明部分・色域]❶の、[グリッドサイズ]❷や[グリッドカラー]❸をそれぞれのメニューから選びます。メニューの下の2つのカラーパッチは、左が市松模様の色、右が背景の色を示しています。

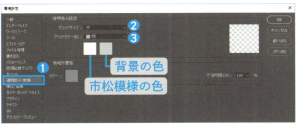

3 グリッドカラーを[暗]に設定。切り抜きの境界が見やすくなりました。

一時的に特定のレイヤーの内容だけを見たい

[レイヤーパネルで目のアイコンを Alt +クリック]

複数のレイヤーのうち、一時的に特定のレイヤーだけを表示し、他のレイヤーを非表示にすることができます。方法は簡単です。レイヤーパネルで、Alt キーを押しながら表示したいレイヤーの目のアイコンをクリックするだけです。レイヤーごとに表示・非表示を指定しなくてもよい便利な方法です。

1 画像とレイヤーの状態。レイヤーパネルではすべてのレイヤーが表示状態になっています。

2 Alt キーを押しながら、任意のレイヤーの目のアイコンをクリックします。そのレイヤーだけが表示され、その他は非表示になります。同じレイヤーをもう一度 Alt キー+クリックすると、元の状態に戻ります。

[Point]

このとき、そのレイヤーは選択されていてもいなくてもかまいません。

Tip
11

選択範囲を新しいレイヤーにするには

↓

[選択範囲を作成後、Ctrl + J キー]

選択範囲を作成している場合、Ctrl + J キーを押すと、その部分をコピーし、新規レイヤーとして作成することができます。また、Ctrl + Shift + J キーを押すと、選択範囲が作成されているレイヤーから選択範囲を切り抜いた上で、選択範囲をコピーしたレイヤーを新規作成します。

1 選択範囲を作成した画像とレイヤー。

2 Ctrl + J キーを押した場合は、選択範囲の画像を新規レイヤーに配置します。

3 Ctrl + Shift + J キーを押した場合は、元画像から選択範囲を切り抜き、それを新規レイヤーに配置します。

(Point)

選択範囲の作成中にマウスの右クリック（Alt + クリック）メニューで［選択範囲をコピーしたレイヤー］や［選択範囲をカットしたレイヤー］を選んでも同様の結果となります。

Tip 12

現在のレイヤーを
最上層・最下層に一発で移動したい

↓

[レイヤーを選択している状態で Ctrl + Shift + [キー]
または Ctrl + Shift +] キー

レイヤーの上下関係を瞬時に変える方法です。レイヤーパネルでドラッグすることでレイヤーの上下の移動は行えますが、ショートカットキーを使うことで、レイヤーの最上層、または最下層に瞬時に移動することができます。最上層に移動する場合は、 Ctrl + Shift +] キーを押します。逆に最下層に移動する場合は、 Ctrl + Shift + [キーを押します。

1 操作する前の画像とレイヤーの状態。最上層の「レイヤー0」を選択しています。この状態で Ctrl + Shift + [キーを押します。

[Point]

「背景」のさらに下層にレイヤーを配置することはできません。「背景」より下に配置したい場合は「背景」をレイヤーに変換しておきます（10ページ参照）。

② 「レイヤー0」が最下層に移動しました。また最上層に戻すには、Ctrl + Shift +] キーを押します。

1つずつ確実に移動する

レイヤーを確実に1つずつ移動させるには、Ctrl + [キー または Ctrl +] キーが便利です。

① レイヤーを1つだけ下に移動するには、Ctrl + [キーを押します。押すたびに1つ下に移動していきます。

② レイヤーを1つだけ上に移動するには、Ctrl +] キーを押します。

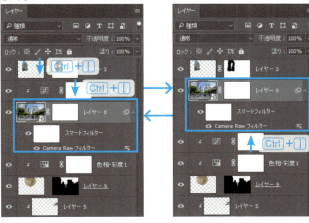

Part 3

[Point]

レイヤーパネルでレイヤーをドラッグして移動すると、ドロップした位置がグループだと中に入ってしまうことがありますが、ショートカットキーなら確実に操作できます。移動時にグループの中に入れたくない場合はグループフォルダーを閉じた状態にしておきます。

グループでない複数のレイヤーの表示・非表示を同時に切り替えたい

［レイヤーカンプ］機能を使うと可能

［レイヤーカンプ］というのは、レイヤーの状態を記録できる機能で、レイヤーのスナップショットのようなものです。本来は、異なるレイヤー状態を反映した作品の複数案を見比べる場合などに利用します。このレイヤーの状態を記録できる機能を使えば、複数のレイヤーの表示・非表示の同時切り替えが可能です。利用するには、［ウィンドウ］メニューから［レイヤーカンプ］を選んでレイヤーカンプパネルを表示しておきます。

1 これはすべてのレイヤーを表示した状態です。

2 ［新規レイヤーカンプ］ボタンをクリックします。

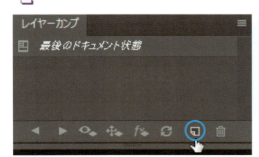

(Point)

ここではレイヤーの表示・非表示にレイヤーカンプを使っていますが、位置や外観も変更して記録しておくと、文字を入れる場所やレイヤー効果、写真の大きさなど、複数の違うデザイン案の比較が簡単にできるようになります。

3 ［新規レイヤーカンプ］画面で、適当な名前（ここでは「カンプ01」）を入力します❶。また記録したい項目にチェックを入れます。表示・非表示の状態を記録する［表示／非表示］❷、位置を記録する［位置］❸、レイヤースタイルの状態を記録する［外観（レイヤースタイル）］❹の3つがあります。あとでレイヤーを移動したりレイヤースタイルを変更したりしたりしても、［位置］と［外観］にチェックを入れておけば、元に戻すことができます。ここではすべてにチェックを入れ、［OK］をクリックします。

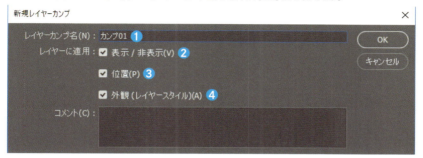

4 レイヤーカンプパネルに、新たなレイヤーカンプ「カンプ01」が追加されます。

5 次にレイヤーパネルで2つのレイヤーを非表示の状態にしました。

6 再び[新規レイヤーカンプ]ボタンをクリックし、新たにレイヤーカンプを追加します。「カンプ02」という名前にしています。

7 2つのレイヤーカンプが作成されましたが、いずれかのレイヤーカンプをクリックすることで、それぞれに記録されたレイヤーの状態を瞬時に呼び出すことができます。たとえば「カンプ01」をクリックすれば、すべてのレイヤーが表示された状態になります。

8 「カンプ02」をクリックすれば、2つのレイヤーが非表示になった状態のレイヤーが表示されます。

(Point)

記録したレイヤーカンプは、あとから変更したレイヤーの状態に上書きすることができます。そのためには、レイヤーの状態を変更後、レイヤーパネル上で目的のレイヤーカンプを選んでから、レイヤーカンプパネルのメニューで[レイヤーカンプを更新]を選びます。

Tip 14

特定の種類のレイヤーだけを表示したい

↓

レイヤーパネルでレイヤーの
フィルタリング機能を使う

CS6以降の Photoshop のレイヤーパネルでは、画像レイヤーやテキストレイヤーなどのレイヤーの種類や、描画モード、レイヤーにつけた名前などを元にして、フィルタリングすることができます。この機能を使えば、何十、あるいは何百といったレイヤーから必要なレイヤーを素早く探し出して、表示することができます。

1 ［レイヤーフィルタリング］機能がOFFになっている場合は、ボタンをクリックしONにします。対象の画像はこのようなものです。レイヤー数が多くなってくるとレイヤーパネルで一覧表示するのが困難になり、スクロールして目的のレイヤーを探すだけで時間かかるようになります。

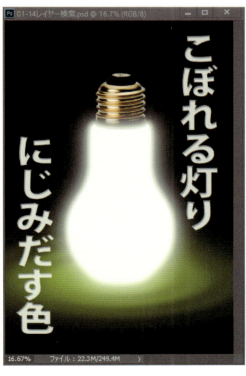

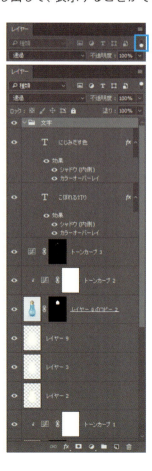

2　初期状態では[種類]となっている部分をクリックするとプルダウンメニューが開きます。ここで検索したいレイヤーの内容を選びます。

4　これはメニューから[モード]を選び、さらに[比較（明）]を選んだ例。このように、さまざまな条件を選んで、必要なレイヤーだけを表示させることができます。

（ Point ）

レイヤーパネルで絞り込んで表示しても、画像ウィンドウに変化はありません（検索したレイヤーだけが表示されるというわけではありません）。

3　これは初期設定の[種類]。右のボタンは順に[ピクセルレイヤー]❶、[調整レイヤー]❷、[テキストレイヤー]❸、[シェイプレイヤー]❹、[スマートオブジェクト]❺に対するもので、それぞれのボタンをクリックすることで、その種類のレイヤーだけが表示されます（複数のボタンを同時に押すことも可能）。図は、ピクセルレイヤー（画像レイヤー）と調整レイヤーを表示させたところです。

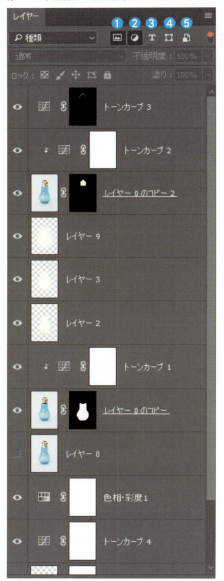

テキストレイヤーだけを表示したい

↓

レイヤーパネルでレイヤーの
フィルタリング機能を使う

前項の操作の要領で、テキストレイヤーだけを表示・編集することもできます。
レイヤーのフィルタリングメニューで [種類] を選び、テキストレイヤーを示す
[T] ボタンをクリックすると、テキストレイヤーだけが表示されます。

1　レイヤーのフィルタリング機能をONにし❶、[種類]を選んで❷、[T]ボタンをクリックします❸。

2　テキストレイヤーだけが表示されます。

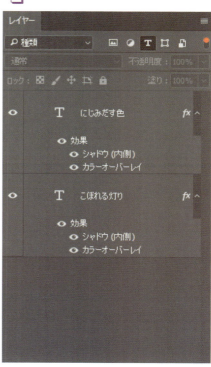

Tip 16

レイヤーの不透明度と塗りの違いを教えて

⬇

［不透明度］はレイヤー効果を含めたレイヤー全体が対象、 ［塗り］はピクセル・シェイプ・テキストが対象に

単純な画像レイヤーを対象にしている場合は、［不透明度］と［塗り］の違いはありません。これらの違いが出るのは、テキストレイヤーやシェイプレイヤーなどに［レイヤー効果］を適用している場合です。その場合、［不透明度］はレイヤー効果を含むレイヤー全体の透明度を調整します。一方［塗り］は、レイヤー効果は残したまま、画像やシェイプ、テキストの不透明度を調整します。

1 背景にテキストレイヤーを加えた作例です。テキストレイヤーには［レイヤー効果］の［ベベルとエンボス］を適用しています❶。［不透明度］❷と［塗り］❸はいずれも100%です。

2 テキストレイヤーを選び、［塗り］は100%のままで、［不透明度］を30%にしたところ。テキストとレイヤー効果の両方が透明に近づきます。

3 テキストレイヤーを選び、[塗り]は100%のままで、[不透明度]を0%にしたところ。
テキストとレイヤー効果の両方が透明になり見えなくなります。

4 テキストレイヤーを選び、[不透明度]は100%、[塗り]を30%にしたところ。レイ
ヤー効果はそのまま残りますが、文字部分の透明度だけが変化し、色が薄くなりま
す。

5 テキストレイヤーの[不透明度]を100%、[塗り]を0%にしたところ。文字部分は完
全な透明になり、レイヤー効果だけが残ります。

Tip

17

レイヤーの不透明度や塗りを1%
または10%単位で調整したい

> [不透明度]や[塗り]の数値ボックスをクリック後、
↑ ↓ または Shift + ↑ 、Shift + ↓ キー

[不透明度] や ［塗り］ を1%単位で調整する場合、スライダーの操作ではうまく調整できません。その場合は数値のボックスをクリックした上で、数値を大きくする場合は ↑ キーを、小さくする場合は ↓ キーを押せば1%単位の調整ができます。また、10%単位で大きくする場合は Shift ＋ ↑ キーを、小さくする場合は Shift ＋ ↓ キーを押します。ここでは ［不透明度］ 下げる方向で説明します。

1　[不透明度]が100%の状態です。まず
[不透明度]のボックスをクリックします。

2　[不透明度]を下げてみます。Shift キーを
押しながら ↓ キーを5回押すと、10%×5
＝50%となり、[不透明度]が、50%下がります。

3　続けて ↓ キーを5回押すと、5%分だけ
[不透明度]が下がります。

Tip
18

誤操作でレイヤーの位置がずれないようにしたい

↓

［レイヤーパネルでレイヤーを選択して［位置をロック］または［すべてをロック］（Ctrl＋/キー）する］

複数のレイヤーを作成していると、ふとした拍子に意図せずにレイヤーの位置がずれてしまうことがあります。これを防ぐにはレイヤーに対して［位置をロック］または［すべてをロック］を適用します。［位置をロック］するにはレイヤーパネルのボタンをクリックします。すべてをロックするには Ctrl＋/キーを押します（次項参照）。

１　位置をロックしたいレイヤーを選択し❶、［位置をロック］ボタンをクリックします❷。レイヤーには鍵のアイコン［レイヤーの部分ロック］❸がつきます。

２　Ctrl＋/キーを押すと、位置を含め、描画やネストもロックされます❶、レイヤーには白い鍵のアイコン［レイヤーのすべてをロック］がつきます❷。［レイヤースタイルを追加］［レイヤーマスクを追加］［レイヤーを削除］もできなくなります❸。

〔 Point 〕

ロックボタンのいずれか（複数可）を押した場合、以降は/キーのショートカットによって、そのロックのオン・オフを切り替えることができます。/キーによって何をロックするかはレイヤーごとに記憶されます。いずれかのロックボタンを押す前は、/キーは［透明ピクセルをロック］のショートカットになっています。

5つあるロックの違いがわからない

↓

[ピクセルレイヤーの透明部分／ピクセルレイヤー自体／位置／アートボード／すべてをロック]

レイヤーパネルに並ぶ5つのロックボタンは、左から［透明ピクセルをロック］［画像ピクセルをロック］［位置をロック］［アートボードの内外への自動ネストを防ぐ］［すべてをロック］となっています。［透明ピクセルをロック］［画像ピクセルをロック］は、画像レイヤーに対して不要な描画を防ぐもの、［位置をロック］はレイヤーの移動を防ぐもの、［アートボードの内外への自動ネストを防ぐ］は、アートボードへの不要なオブジェクトの移動を防ぐもの、そしてそれらすべてを同時に有効にするのが［すべてをロック］です。

❶透明ピクセルをロック
❷画像ピクセルをロック
❸位置をロック
❹アートボード内外への自動ネストを防ぐ
❺すべてをロック

1 ［透明ピクセルをロック］と［画像ピクセルをロック］の2つのロックは、誤った描画を防ぎます。この画像では「水滴のハイライト」レイヤーを選択しており、水滴の白い部分が描画部、それ以外が透明な部分です。ここでは黒の［ブラシ］ツールで描画してみます。

 ［透明ピクセルをロック］

 ［画像ピクセルをロック］

 ［ブラシツール］

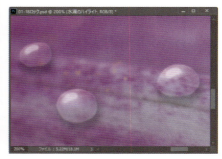

2 ［透明ピクセルをロック］は、画像レイヤーの透明部分だけをロックします。黒の［ブラシ］ツールで描画しましたが、（水滴の白以外の）透明部分は描画されず、もともと描画されていた白い部分だけが黒で塗りつぶされています。

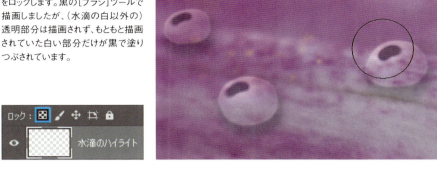

3 ［画像ピクセルをロック］は、画像レイヤー全体をロックします。［ブラシ］ツールで描画しようとしてもツールアイコンが「禁止」状態になり描画できません。

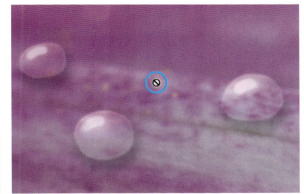

4 ［位置をロック］は、レイヤーの移動を禁止します。移動しようとすると、図のような警告ダイアログボックスが表示されます。

Adobe Photoshop CC 2017

移動ツールを使用できません。レイヤーがロックされています。

OK

5 ［アートボードの内外への自動ネストを防ぐ］は、あるアートボードから別のアートボードにオブジェクトが不用意に移動されるのを防ぎます。例えば「アートボード1」「アートボード2」の2つのアートボードがあり❶、「アートボード2」に［アートボードの内外への自動ネストを防ぐ］がかかっている❷とします。

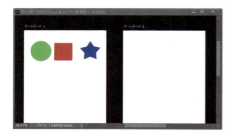

6 その状態で、「アートボード1」のオブジェクトを「アートボード2」にドラッグして移動します❶。見かけ上は移動できたかのように見えますが、レイヤーパネルを確認すると、移動したオブジェクトは単独のレイヤーになり❷、「アートボード2」は変化していないことがわかります。［アートボードの内外への自動ネストを防ぐ］がかかっていない場合は、「アートボード2」に配置されます❸。

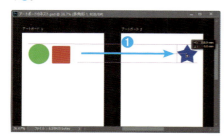

Tip 20

上下に離れたレイヤーを一発で一か所にまとめたい

↓

[まとめたいレイヤーを選択しておき、
そのうちの1つのレイヤーをわずかに上下に移動させる]

離れているレイヤーを、一か所に近接させてまとめるには、まず、まとめたいレイヤーを同時に選択しておきます。次に、どのレイヤーの位置でまとめたいかを決め、そのレイヤーを少し上下にずらします。すると、その位置で、選択しているレイヤーが一か所にまとまります。

1 一か所にまとめたいレイヤーを複数選択しておきます。離れた位置にあるレイヤーを同時に選択するには、Ctrl キーを押しながらレイヤーのサムネール以外の部分をクリックします。

2 選択したいいずれかのレイヤーを上下に少しドラッグして動かします。

上下にずらす

3 動かしたレイヤーの位置で、選択していたレイヤーが一か所にまとまります。

[Point]

Ctrl キーを押しながらレイヤーサムネール部分をクリックすると選択範囲の作成になってしまいます。レイヤーそのものを選択するには、サムネール以外の部分をクリックしてください。

Tip 21

開いている複数のグループフォルダーを
すべて一気に閉じたい

↓

[どれか開いているグループフォルダーの
☑を[Ctrl]＋クリック]

作業中でないグループフォルダーは閉じてしまうとレイヤーパネルの見通しがよくなり、ミスも防げます。開いている複数のグループフォルダーのすべてを一気に閉じるには、どれでもいいので、レイヤーパネルで開いているグループフォルダーの☑を[Ctrl]を押しながらクリックします。

1 レイヤーパネルで開いているグループフォルダーの☑にマウスを合わせ、[Ctrl]を押しながらクリックします。

2 開いているグループフォルダーのすべてが一気に閉じられます。逆にどれか閉じているグループフォルダーの▶を[Ctrl]を押しながらクリックすると、すべてのグループフォルダーが一気に開きます。

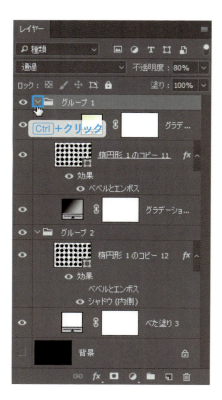

Tip

22

移動ツールで間違ってオブジェクトを移動しないようにしたい

↓

[[移動]ツール選択時のオプションバーで [自動選択]のチェックを外す]

レイヤーが複雑になると、[移動] ツールで間違って意図しないレイヤーを動かしてしまうことがあります。そのような事態を避けるには、[移動] ツールのオプションバーにある [自動選択] のチェックを外しておきます。なお、[Ctrl]キーの押し下げにより [自動選択] のオン・オフが一時的に切り替わります。

1　[移動]ツールのオプションバーで[自動選択]にチェックが入っていると①、他のレイヤーを選択しているにもかかわらず②、マウスポインタで触れた位置にあるレイヤーが選択され③、移動可能になってしまいます。

[移動ツール]

ドラッグ
または
クリック

2 ［移動］ツール選択時のオプションバーで、［レイヤー］が選ばれていることを確認した上で、［自動選択］のチェックを外します。

［ Point ］

ここでは［自動選択］オン・オフの対象を［レイヤー］としていますが、代わりに［グループ］を選ぶと、グループレイヤーに対して同様の処理をすることができます（20ページ参照）。

3 移動したいレイヤーを選択します。ここでは「文字（ラスタライズ済み）」を選んでいます

4 マウスポインタで触った位置に関係なく、レイヤーパネルで選択したレイヤーが移動の対象となるので、他のレイヤーに間違って触れても移動することはありません。

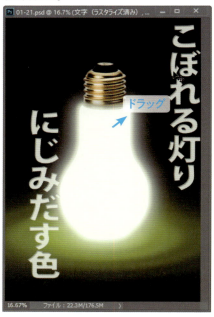

［ Point ］

ショートカットキーの Ctrl キーを押しながら移動すると、そのとき選ばれている［自動選択］のオン・オフが入れ替わります。

レイヤーの新規作成時や複製時に すぐ名前をつけたい

↓

[レイヤーパネルの[新規レイヤーを作成]ボタンを Alt ＋クリック]

新規レイヤーを作る際や、レイヤーを複製する際に、作成後にダブルクリックで名前を変えるのは二度手間です。作成時にすぐレイヤーに名前をつけることができます。新規にレイヤーを作る場合は、Alt キーを押しながら [新規レイヤーを作成] ボタンをクリックします。レイヤーを複製する場合は、複製したいレイヤーを [新規レイヤーを作成] ボタンにドラッグ＆ドロップする際に Alt キーを押したままにします。

1 新規にレイヤーを作成する場合は、Alt キーを押しながら[新規レイヤーを作成]ボタンをクリックします。

2 [新規レイヤー]ダイアログが表示され、名前を入力できます。[OK]で確定すると名前のついた新しいレイヤーが作成されます。

3 レイヤーを複製する場合は、[Alt]キーを押しながら[新規レイヤーを作成]ボタンにレイヤーをドラッグ&ドロップします。

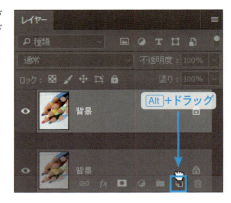

4 [レイヤーを複製]ダイアログが表示され、名前を入力できます。[OK]で確定すると、新しく名前のついた複製レイヤーが作成されます。

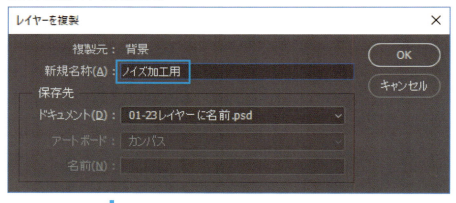

コピペしてはみ出したレイヤーを
カンバス内に収めたい

↓

[はみ出しをカットしたいなら[切り抜き]か[トリミング]、
カンバスに入れたいなら[変形]を実行

[切り抜き]は、そのウィンドウ（ドキュメント）のサイズで、はみ出した分を
カットします。はみ出した分も利用したい場合は、レイヤーを縮小するなど変形
して、ドキュメントのサイズに収めます。

はみ出し部分をカットする

1 「レイヤー1」がドキュメントサイズからはみ出しています。図ではわ
かりやすくするためにバウンディングボックスを表示しています。

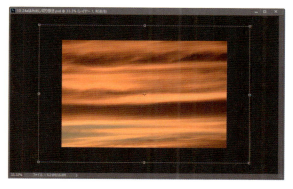

2 現在のドキュメントサイズで切り抜きをする場合は、まず[Ctrl]＋
[A]キーでカンバスを選択範囲にします。

3 [イメージ]メニューから[切り抜き]を実行すると、はみ出した部分がカットされます。この処理はすべてのはみ出したレイヤーに適用されます。

変形してカンバスに収める

1 はみ出した分も利用したい場合は[変形]させます。[編集]メニューの[変形]から目的の変形コマンドを選んだり、あるいは[Ctrl]+[T]キーを押して[自由変形]を使って変形します。

(Point)

変形時、ドキュメントサイズと同じ大きさに調整するには、[表示]メニューの[スナップ]を有効にした上で、[表示]メニューの[スナップ先]で[ドキュメントの端]を選んでおくと、変形操作が簡単です。

2 ハンドルをドラッグして変形しますが、元の縦横比を維持したい場合は、[Shift]キーを押しながら四隅のハンドルをドラッグして大きさを調整します。変形を確定するには、バウンディングボックス内でダブルクリックします。

トリミングを使う

1 [トリミング]を使えば、[Ctrl]＋[A]キーによる全選択の工程を省いて、はみ出し部分を削除することができます。ただしドキュメントの四辺が単色で埋められている場合、その部分まで切り取られてしまうので注意してください。失敗例として、下に単色がある画像で実行してみます。

2 [イメージ]メニューから[トリミング]を実行します。[トリミング対象カラー]の選択で[右下のピクセルカラー]にチェックが入っていることに注意します。

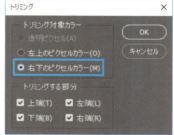

3 [トリミング]を実行すると、このように単色部分がトリミングされ、結果、元のサイズより上下が短くなってしまいました。これを防ぐには、単色部分でない[左上のピクセルカラー]にチェックを入れてトリミングを行います。

Tip
25

多すぎるレイヤーを整理して数を減らしたい

↓

複数レイヤーを選択して Ctrl + E キーか、表示レイヤーを選んで Ctrl + Shift + E キー

レイヤーの数が多くなると、管理しにくくなります。作業の最終段階になり、レイヤーが独立していることが必ずしも必要でなくなったら、関連するレイヤーを1つにまとめておくとよいでしょう。まとめたい複数のレイヤーを同時選択し、Ctrl + E キーを押すと1つのレイヤーになります。Ctrl + Shift + E キーを押すと、表示されているレイヤーをまとめて1つにします。

1 任意の複数のレイヤーを1つにまとめる場合は、あらかじめそれらのレイヤーを Shift キーや Ctrl キーを押しながらクリックして同時に選択しておきます。

2 Ctrl + E キーを押すと、選択したレイヤーが1つになります。これは、[レイヤー]メニューの[レイヤーを結合]のショートカットです。

[Point]

選択したレイヤーに非表示レイヤーが含まれる場合、そのレイヤーは結果的に削除されます。また、1つのレイヤーを選択しての Ctrl + E キーは(その直下の画像レイヤーが非表示でなければ)[下のレイヤーと結合]のショートカットになります。

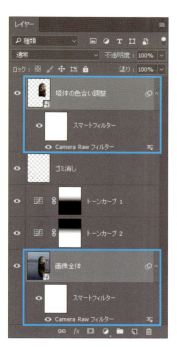

③ 離れたレイヤーを同時選択した状態でも、Ctrl＋Eキーでレイヤーを統合することができますが、レイヤーの順序が変わるため、最終的な見え方が変化することがあります。注意しましょう。

表示されているレイヤーを結合する

レイヤーパネル左側の目のアイコンで表示するレイヤーを選んでから Ctrl ＋ Shift ＋ E キーを押すと、表示されているレイヤーだけが結合されます。

① 表示されているレイヤーを1つにまとめたい場合は、表示されているいずれかのレイヤーを選んでおきます。

② Ctrl ＋ Shift ＋ E キーを押すと、表示されているレイヤーが1つにまとめられます。これは、[レイヤー]メニューの[表示レイヤーを結合]のショートカットです。結合後のレイヤー名には、結合前に選択したレイヤー名が引き継がれます。

別のドキュメントの同じ位置にコピー＆ペーストしたい

［2つのドキュメントを開き、コピー元で[レイヤーを複製]し、保存先をコピー先のドキュメントに］

ロゴなどのデザインを複数個作成する場合、パーツの流用時に同じ位置に配置したいことが多々あります。その場合は、2つのドキュメントを開き［レイヤー］メニューの［レイヤーを複製］で他方のファイルを選ぶと、簡単に同じ位置にパーツを複製・配置することができます。

1 2つのドキュメントを開いておきます。左は「ILOVEMUSIC_02.psd」右は「ILOVEMUSIC_01.psd」というファイル名です。右の「I ♡ music」というロゴを左のドキュメントの同じ位置にコピー＆ペーストします。まずは、コピーしたい「I ♡ music」のレイヤーを選択しておきます。

2 ［レイヤー］メニューの［レイヤーを複製］を選びます。［レイヤーを複製］ダイアログが開いたら、コピー先のレイヤー名となる［新規名称］を確認または入力し❶、［保存先］の［ドキュメント］でコピー先ドキュメント（ここでは「ILOVEMUSIC_02.psd」）を指定します❷。

3 左側のドキュメントに「I ♡ music」のロゴが配置されます。なお、コピーされる側では、コピー前に選んでいたレイヤーの上にコピーされたレイヤーが挿入されます。

［ Point ］

単純な画像レイヤーやオブジェクトの場合は、一方のドキュメントで通常の［コピー］を行ったあと、他方のドキュメントで［編集］メニューの［特殊ペースト］→［同じ位置にペースト］を行えば、同じ位置にペーストできます。ただし、作例のように［レイヤー効果］などの複雑な処理がなされたレイヤーを丸ごとコピー&ペーストすることはできないので、その場合はここで紹介した［レイヤーを複製］を使ってください。

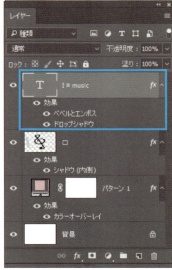

選択範囲の中にだけペーストしたい

⬇

$$[\quad \boxed{Ctrl} + \boxed{Alt} + \boxed{Shift} + \boxed{V} (\boxed{⌘} + \boxed{Shift} + \boxed{V}) キーで $$
特殊ペースト $\quad]$

［編集］メニューの［特殊ペースト］にある［選択範囲内へペースト］（ショートカットキーは $\boxed{Ctrl}$ ＋ $\boxed{Alt}$ ＋ $\boxed{Shift}$ ＋ $\boxed{V}$、Mac は $\boxed{⌘}$ ＋ $\boxed{Shift}$ ＋ $\boxed{V}$ ）を使うと、作成されている選択範囲内にコピーした画像やオブジェクトをペーストすることができます。ペーストすると、選択範囲がレイヤーマスクになるため、レイヤーマスクの再編集によって、見える範囲を調整し直すことも可能です。

1 ２つの画像とレイヤーの状態です。左側は額の画像、右側は山の風景写真です。左側には選択範囲を作成し、右側の画像に対して $\boxed{Ctrl}$ ＋ $\boxed{A}$ キーで［すべてを選択］したあと、$\boxed{Ctrl}$ ＋ $\boxed{C}$ キーを実行して画像全面をコピーします。

② 左側の額の画像に対して [Ctrl]+[Alt]+[Shift]+[V]キー（Macは[⌘]+[Shift]+[V]キー）を実行すると、新規レイヤーとしてペーストされ、このように選択範囲内に画像が表示されます。これは選択範囲外をレイヤーマスクによって隠す処理によるものです。

レイヤーマスクが
作成される

③ 複雑な選択範囲を作成しておくと、切り絵のような効果が得られます。

[Point]

[編集]→[特殊ペースト]→[選択範囲内へペースト]のメニューです。[特殊ペースト]には、[選択範囲外へペースト]も用意されています。この場合は、選択範囲がマスクされた状態でペーストされます。

編集(E) イメージ(I) レイヤー(L) 書式(Y) 選択範囲(S) フィルター(T) 3D(D) 表示(V) ウィン

ピクセルをコピーの取り消し(O)	Ctrl+Z
1 段階進む(W)	Shift+Ctrl+Z
1 段階戻る(K)	Alt+Ctrl+Z
フェード(D)...	Shift+Ctrl+F
カット(T)	Ctrl+X
コピー(C)	Ctrl+C
結合部分をコピー(Y)	Shift+Ctrl+C
ペースト(P)	Ctrl+V
特殊ペースト(I)	▶
消去(E)	
検索	Ctrl+F

同じ位置にペースト(P)	Shift+Ctrl+V
選択範囲内へペースト(I)	Alt+Shift+Ctrl+V
選択範囲外へペースト(O)	

スタイル： 標準 幅：

Tip 28

複数のレイヤーの[不透明度]や[描画モード]を
一度に等しく変更したい

↓

[複数のレイヤーを選択して一律の調整が可能]

Photoshop では同時に複数のレイヤーを操作することができ、[不透明度] や [描画モード] を一律に変更することが可能です。方法は簡単で、変更したい複数のレイヤーを選択し、[不透明度] を調整したり[描画モード] を選んだりします。[レイヤーパネル] でのスライダー操作やメニュー選択をする以外に、[不透明度]であれば、キーボードによる数値の直接入力や、[描画モード] であれば、[Shift]＋[+]キー、または[-]キーによるモード変更も可能です。

1 ［レイヤーパネル]で[不透明度]や[描画モード]を変更したい複数のレイヤーを[Ctrl]キーを押しながらクリックして選択します。複数のレイヤーを選択するときは、サムネールではなく、文字や空白部分をクリックします❶。この時点では[不透明度]は40%、[描画モード]は[通常]になっています❷。

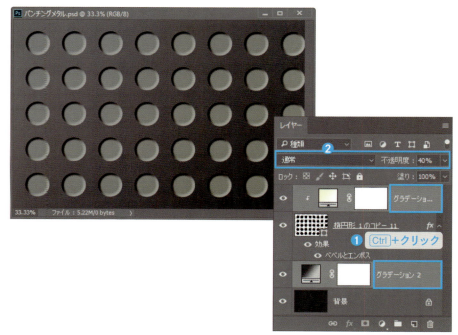

2 ［不透明度］を変更してみましょう。数値ボックスを選択してキーボードで数値の「80」と入力すると、選択し
ているすべてのレイヤーの［不透明度］が80%になります。

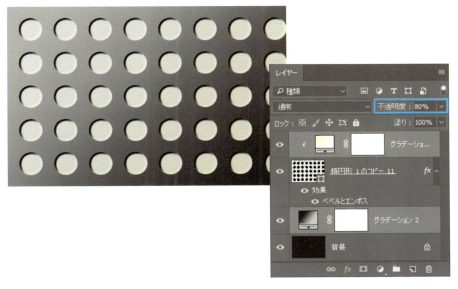

3 続けて［描画モード］を変更します。プルダウンメニューから選択するか、Shift + + キーを14回押すと選択し
ているすべてのレイヤーが［ハードライト］になります（62ページ参照）。

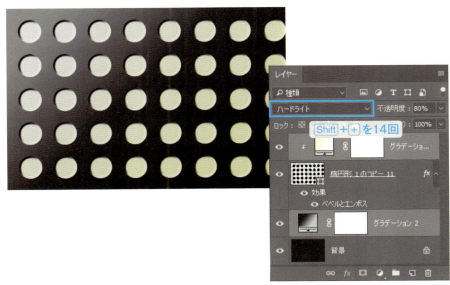

Tip 29

空白のレイヤーを一気に削除するには

↓

[［ファイル］メニューにある［スクリプト］→
［すべての空白レイヤーを削除］]

さまざまな表現を実現するのに、たくさんのレイヤーを作成すると、ときどき空白のレイヤーが残ったままになることがあります。しかし必要な画像が含まれていないか目視でいちいち確認するのも面倒です。レイヤーの管理の邪魔になり、無駄にファイル容量を増やすだけの空白レイヤーは、確認なしで一気に削除することができます。

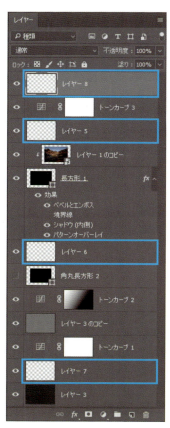

1 4つの空白レイヤーが確認できます。

2 ［ファイル］→［スクリプト］→［すべての空白レイヤーを削除］を
実行します。

3 空白のレイヤーが自動的に
削除されます。

2

レイヤースタイルと描画モード

描画モードを順に次々と変更したい

[Shift]キーと[+]または[-]キーで可能

レイヤーの［描画モード］を変えることで、簡単に特殊効果を得ることができます。ただ、［描画モード］の種類が多く、レイヤーパネルのプルダウンメニューを選び直して、それぞれの効果を確認するのは手間がかかります。そのようなときは、[Shift]キーと[+]または[-]キーを押してみましょう。描画モードが次々と入れ替わり、効果をすぐに確認することができます。

1　［描画モード］のメニュー。[Shift]と[+]キーで［描画モード］はメニューの上から下に切り替わります。[Shift]と[-]キーでは、メニューの下から上に切り替わります。

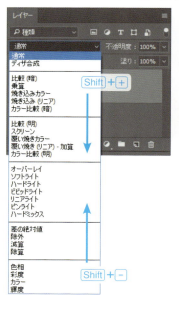

2　レイヤーの下層にチョコレート、上層にグラスが配置された状態です。

通常

乗算

スクリーン

[Shift]+[+]を3回

[Shift]+[+]を5回

[Shift]+[+]を4回

[Shift]+[+]を7回

[Shift]+[+]を7回

輝度

差の絶対値

オーバーレイ

[Point]

Windowsでは[描画モード]プルダウンメニューが選択状態になるとショートカットキーが効きません。その場合はいったんレイヤーパネルの何もない場所をクリックしてから再度対象レイヤーをクリックするか、対象レイヤーを非表示→再表示してから操作します。

Tip
31

描画モードの分類を大まかに知りたい

↓

[通常のほか[暗くする][明るくする][コントラスト調整]
[上下の比較][上下の色の3要素による合成]の5グループ]

レイヤーパネルで［描画モード］のメニューを見ると、グループに分かれていることに気づきます。特殊効果を加えない［通常］と［ディザ合成］に始まり、以降、5つのグループに分けることができます。上から明るくする、暗くする、コントラスト調整、上下レイヤーの比較、色の3要素（色相・彩度・輝度）による合成、です。グループ内でも効果が大きく変わるものもあります。ここでは、各グループ内で比較的よく使われる［描画モード］を掲載しました。

1 ［描画モード］の大まかな分類です。上から、通常、暗くする、明るくする、コントラスト調整、上下レイヤーの比較、色の3要素（色相・彩度・輝度）による合成、となっています。

2 レイヤーの上層にカラーパッチ、下層に単色のグレーを配置しています。この上層の描画モードを変更します。上層レイヤーの［不透明度］はすべて100%とします。

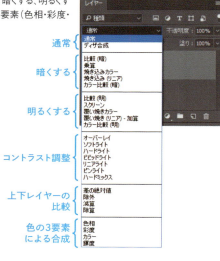

通常 { 通常 / ディザ合成

暗くする { 比較（暗）/ 乗算 / 焼き込みカラー / 焼き込み（リニア）/ カラー比較（暗）

明るくする { 比較（明）/ スクリーン / 覆い焼きカラー / 覆い焼き（リニア）- 加算 / カラー比較（明）

コントラスト調整 { オーバーレイ / ソフトライト / ハードライト / ビビッドライト / リニアライト / ピンライト / ハードミックス

上下レイヤーの比較 { 差の絶対値 / 除外 / 減算 / 除算

色の3要素による合成 { 色相 / 彩度 / カラー / 輝度

［描画モード］は［通常］。上層のレイヤーだけが見えます。

暗くするグループの［乗算］です。このグループの［描画モード］では、白は結果として反映されません。

明るくするグループの［スクリーン］です。このグループの［描画モード］では黒は結果として反映されません。

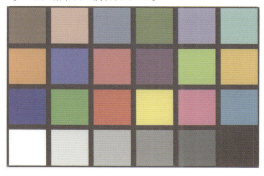

コントラストを調整するグループの［ハードライト］です。

上下のレイヤーを比較するグループの［差の絶対値］です。

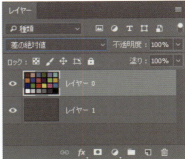

色相・彩度・輝度を操作するグループの［輝度］です。

Tip 32

描画モードによる違いを一覧で見せてほしい

↓

描画モードの原理とあわせて 効果を感覚的につかんでおく

[描画モード] は、言葉で説明するより実際に試してみるのが一番です。ここでは描画モードによる効果の一覧を掲載します。前項で取り上げた [描画モード] のグループごとの傾向を把握しておくと探しやすくなります。

掲載の作例のレイヤーの構成です。下層にカラーパッチ、上層にさまざまな色をつけた文字を配置し、文字のレイヤーの[描画モード]を変更しています。なお[不透明度]はすべて100%です。

(Point)

Photoshopのヘルプなどで描画モードが説明される場合、下層レイヤーの色は「基本色」、上層レイヤーの色は「合成色」と呼ばれます。

通常
描画モード：通常
上層のテキストレイヤーがそのまま表示されます。下層のカラーは影響を与えません。

描画モード：ディザ合成
[不透明度]に応じて下層または上層レイヤーのピクセルが表示されます。ざらついた感じになります。

暗くする
描画モード：比較（暗）
上下のレイヤーの各チャンネルを比較し、暗いほうを表示します。

描画モード：乗算

上下のレイヤーの各チャンネルを掛け合わせます、[比較（暗）]より暗くなります。

描画モード：カラー比較（暗）

上下のレイヤーの各チャンネルの合計を比較し、値が低いほうを表示します。

描画モード：焼き込みカラー

下層のレイヤーを暗くしてコントラストを強め、合成します。

明るくする

描画モード：比較（明）

上下のレイヤーの各チャンネル比較し、明るいほうを表示します。

描画モード：焼き込み（リニア）

下層のレイヤーを暗くして合成します。

描画モード：スクリーン

上下のレイヤーの色を反転した色を乗算します。結果的に明るくなります。

描画モード：覆い焼きカラー

下層のレイヤーを明るくし、コントラストを下げて合成します。

描画モード：覆い焼き（リニア）-加算

下層のレイヤーを明るくして合成します。

描画モード：カラー比較（明）

上下のレイヤーの各チャンネルの合計を比較し、値が高いほうを表示します。

コントラスト調整

描画モード：オーバーレイ

下層レイヤーに応じ上層レイヤーを［乗算］または［スクリーン］で重ねます。

描画モード：ソフトライト

上層レイヤーに応じ、色を明るくしたり暗くしたりします。上層レイヤーが50％グレーより明るい場合は［覆い焼き］のように明るく、50％グレーより暗い場合は［焼き込み］したようになります。［オーバーレイ］の効果を弱めた印象です。

描画モード：ハードライト

上層レイヤーに応じ、色を［乗算］または［スクリーン］で重ねます。上層レイヤーが50％グレーより明るい場合は［スクリーン］されたように明るく、50％グレーより暗い場合は［乗算］のように暗くなります。［オーバーレイ］の効果を強めた印象です。

描画モード：ビビッドライト

上層レイヤーに応じてコントラストの強弱をつけ、さらに上層レイヤーが50%グレーより明るい場合はコントラストを下げて明るくし、50%グレーより暗い場合はコントラストを上げて暗くします。

描画モード：リニアライト

上層レイヤーに応じて明るさを増減し、焼き込みか覆い焼きをします。上層レイヤーが50%グレーより明るい場合は明るくし、50%グレーより暗い場合は暗くします。

描画モード：ピンライト

上層レイヤーに応じて色を置換します。上層レイヤーが50%グレーより明るいか暗いかで、色が置き換えられます。

描画モード：ハードミックス

上層レイヤーの各チャンネル値を下層レイヤーのチャンネル値に追加しますが、合計が255以上の場合は255となり、255未満の場合は0になります。結果的にR/G/Bの値は0か255になります。

上下レイヤーの比較

描画モード：差の絶対値

上下のレイヤーのピクセル値を比較し、明るいほうから暗いほうを取り除きます。ただし、黒との合成は変化がありません。

描画モード：除外

［差の絶対値］よりコントラストが弱い結果となります。

描画モード：減算

各チャンネルにおいて下層レイヤーから上層レイヤーの値を減算します。

描画モード：彩度

下層レイヤーの輝度および色相と上層レイヤーの彩度を合わせます。

描画モード：除算

各チャンネルにおいて下層レイヤーを上層レイヤーの値で割ります。

描画モード：カラー

下層レイヤーの輝度と上層レイヤーの色相と彩度を合わせます。

色の3要素
（色相・彩度・輝度）に
よる合成

描画モード：色相

下層レイヤーの輝度および彩度と上層レイヤーの色相を合わせます。

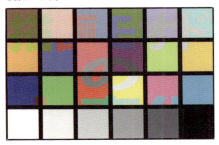

描画モード：輝度

下層レイヤーの色相と彩度と上層レイヤーの輝度を合わせます。

Tip 33

［同名の［描画モード］より少しコントラストが低くなる］

［焼き込みカラー］と［覆い焼きカラー］には、それぞれ「リニア」と名のつく別の描画モードがあります。改めて違いを見てみましょう。［焼き込みカラー］は下層レイヤーを暗くし、コントラストのついた暗い画像になりますが、「リニア」では、コントラストが弱めにさらに暗い画像になります。一方、［覆い焼きカラー］は下層レイヤーを明るくしコントラストのついた明るい画像になりますが、「リニア」では、コントラストが弱めの明るめの画像になります。

作例に使った画像です。カラーパッチと明るいグレー、そして暗いグレーです。

焼き込みカラー

下層レイヤーに明るいグレーを敷き、上層レイヤーにカラーパッチを配置したものです。［焼き込み(リニア)］のほうが少しコントラストが低くなります。

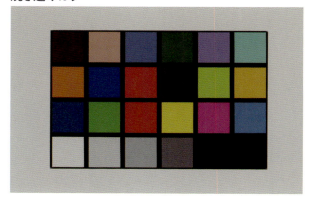

焼き込み（リニア）

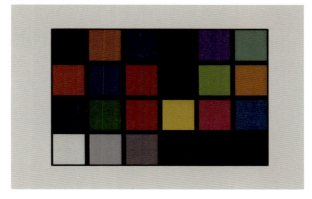

覆い焼きカラー

下層レイヤーに暗いグレーを敷き、上層レイヤーにカラーパッチを配置したもの。［覆い焼き（リニア）-加算］のほうがコントラストが少し低くなります。［覆い焼き（リニア）-加算］のほうがはっきり見えるように感じますが、これは明るいからであって、明暗差（コントラスト）は高くはありません。

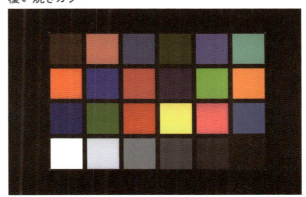

覆い焼き（リニア）-加算

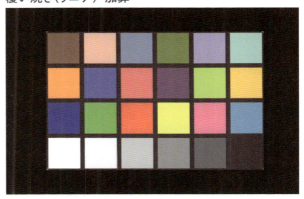

「〜ライト」と名のつく描画モードの違いを知りたい

[コントラストのかかり方がそれぞれ異なる]

「〜ライト」と名のつく描画モードでは、コントラストが強まったり弱まったりしますが、上層レイヤーと下層レイヤーの明るさの相互関係で結果は大きく異なります。ここでは「〜ライト」とつきませんが、それらの基本と考えていい［オーバーレイ］も参考にしながら、それぞれの［描画モード］を確認します。Tip32の［描画モード］の一覧とは、少し異なる作例で確認します。

［描画モード］が［通常］の状態。明るいコーヒー豆の画像の上に
ドロップシャドウのついた色文字を乗せています。

描画モード：オーバーレイ
［オーバーレイ］では、透明なイメージでコントラストが強まります。

[Point]

解説中で「明るい部分」
「暗い部分」と述べているのは、50％グレーより明るい部分、50％グレーより暗い部分という意味です。

描画モード：ソフトライト

[ソフトライト]も透明なイメージで
コントラストが強まりますが、[オー
バーレイ]より弱めです。

描画モード：ハードライト

[ハードライト]は[ソフトライト]より
効果が強めですが、白や黒の部
分は、そのまま残ります。

描画モード：ビビッドライト

[ビビッドライト]は上層レイヤーが
明るい部分は低コントラストで明
るく、暗い部分は高コントラストで
暗くします。

描画モード：リニアライト

［リニアライト］は上層レイヤーが明るい部分は明るく、暗い部分は暗くします。

描画モード：ピンライト

［ピンライト］は上層レイヤーが明るく下層レイヤーが暗い場合と、上層レイヤーが暗く下層レイヤーが明るい場合は、色を置き換えます。

描画モード：ハードミックス

［ハードミックス］は上層レイヤーの状態に合わせ、下層レイヤーのR/G/B値が0または255となります。結果、強いコントラストの画像になります。

Tip

35

重なったレイヤーの明るい部分、または暗い部分だけを見せたい

［比較（明）］や［比較（暗）］を使う

重なったレイヤーのどちらか明るい部分、あるいは暗い部分を見せたい場合は、［描画モード］の［比較（明）］か［比較（暗）］を選びます。［比較（明）］では、各チャンネルのカラー情報に基づいて、上下いずれかのレイヤーの明るい部分が表示されます。また、［比較（暗）］では、上下のいずれかのレイヤーの暗い部分が結果的に表示されます。

下層レイヤーにマカロンの画像、上層レイヤーにテキストを配置したものです。このテキストレイヤーの描画モードを変えてみます。

描画モード：比較（暗）

下層と上層を比較し、暗いほうを表示します。この場合、テキストの大部分がマカロンの画像より暗いため、テキストが表示される割合が多くなっています。色合いが変わるのは、チャンネルごとに比較しているためです。

描画モード：比較（明）

下層と上層を比較し、明るいほう
を表示します。この場合、赤や黄
色のマカロンのほうがテキストよ
り明るいため、マカロンの画像が
優先表示されています。

〔 Point 〕

[比較（明）]による合成は、星空（星景）写真でもよく使わ
れます。都会で街並みと星空を撮ろうとした場合、明るさが
極端に異なるため、露出時間をかけて十分な星の軌跡を
撮ろうとすると、街並みが露出オーバーになります。それを
避けるためには、街並みが飛ばず、しかし星の奇跡がわず
かに写るような露出設定にした状態（数秒程度の露出に
なります）で、数十分から数時間ほど、何百枚、何千枚と撮
ります。それを[比較（明）]で重ねていくことで、露出オー
バーしない街並みと十分な星の軌跡を得ることができま
す。ここに挙げた作例は、露出時間を6秒にして600枚弱
を撮影し、それを[比較（明）]で合成したものです。撮影し
た画像を[比較（明）]で重ねていくごとに、星の軌跡が伸
びていきます。このような作業は手作業ではなく、バッチを
使って自動処理します。

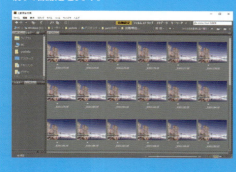

レイヤー効果の［高度な合成］について教えて

表現力を高めたり、期待通りの結果を得るためのオプション設定

［レイヤー効果］の［高度な合成］は、画像合成を行う際の表現力を高めたり、あるいは思い通りに合成されない場合などに設定を見直し期待通りの結果にすることができます。ここではそれぞれのオプションを有効・無効にした場合の違いを実例でわかるように説明します。

［レイヤースタイル］の［レイヤー効果］で［高度な合成］にある各オプション設定について説明します。なお、［塗りの不透明度］については、36ページを参照してください。

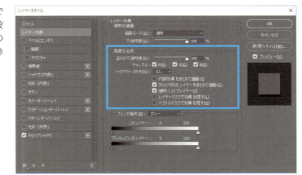

チャンネル
初期設定：すべてチェックあり

1 最初の画像とレイヤーの状態です。画像レイヤーの上に、ドロップシャドウをつけたテキストレイヤーを配置しています。［高度な合成］の［チャンネル］にはすべてチェックが入っています。

Part 1

Part 2
レイヤースタイルと描画モード

Part 3

2 ［チャンネル］はそのレイヤーで描画させないチャンネルを指定します（チャンネルの除外）。例えば［R］のチェックを外すと、レッドチャンネルが非表示になります。これは、レイヤースタイルを含むレイヤー全体に影響します。

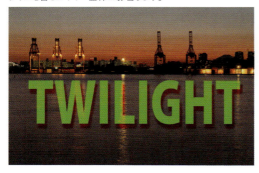

ノックアウト（抜き）
初期設定：なし

1 最初の画像とレイヤーの状態、そして［レイヤースタイル］の設定です。「グループ1」のテキストレイヤーに［レイヤー効果］を適用しており、「湾岸風景」の画像が透けて見えています。グループレイヤーの下層にある、縦のカラーバーからなる「縦のライン」と、横のカラーバーからなる「背景」に留意しておいてください。［ノックアウト］は［レイヤー効果］が適用されている画像を切り抜いて、グループレイヤーより下のレイヤーの画像を表示するという機能があります。これは［なし］のため、グループレイヤーより下の画像は表示されません。

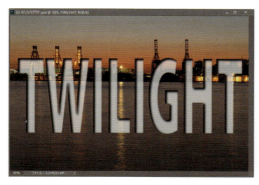

2 [ノックアウト]を[浅い]に　すると、[レイヤースタイル]を適用している部分に、グループレイヤー直下のレイヤーが表示されます。この作例では「縦のライン」の画像が表示されています。

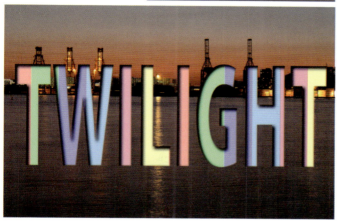

3 [ノックアウト]を[深い]にする　と、[レイヤースタイル]を適用している部分に、「背景」が表示されます。作例では横のラインが表示されています。なお「背景」がない場合は透明になります。

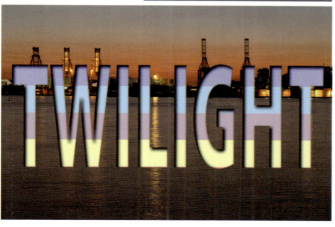

(**Point**)

「グループレイヤー」か「クリッピングマスク」が使われていない場合は、[浅い][深い]のいずれを選択しても「背景」が表示されます。

内部効果をまとめて描画
初期設定：チェックなし

1 最初の画像とレイヤーの状態です。画像レイヤーの上に、[シャドウ（内側）]と[カラーオーバーレイ]を適用し、[塗りの不透明度]を50%としたテキストレイヤーを配置しています。[内部効果をまとめて描画]のチェックは入っていません（初期設定）。この状態では[塗りの不透明度]が反映されず、テキストは不透明になっています。

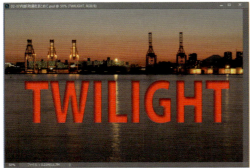

2 テキストレイヤーの[レイヤースタイル]の[内部効果をまとめて描画]のチェックを入れたものです。[塗りの不透明度：50%]の設定が反映され、テキスト部分が半透明になります。指定した内容が反映されない場合は、このチェックを入れてみましょう。

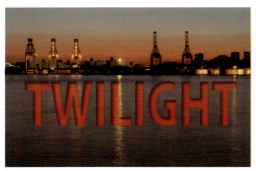

クリップされたレイヤーをまとめて描画
初期設定:チェックあり

1 最初の画像とレイヤーの状態です。画像レイヤーの上に、[塗り]を50%としたテキストレイヤーを配置し、さらに3色の色帯のレイヤーを配置しています。

2 3色の色帯のレイヤーをクリッピングマスクにします。すると、色帯でクリップされるだけでなく、最下層の夕焼けの画像も見えるようになります。

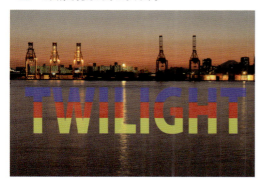

3 テキストレイヤーを選び、[レイヤースタイル]の[クリップされたレイヤーをまとめて描画]のチェックを外すと、クリッピング部分では夕焼けの画像が消え、色帯だけでクリッピングされるようになります。このオプションは、オブジェクト（テキストレイヤー）の[塗り]の効果を適用するか（チェックあり）、しないか（チェックなし）の選択ということになります。

透明シェイプレイヤー
初期設定：チェックあり

1 最初の画像とレイヤーの状態です。画像レイヤーの上に、[塗り]を50％としたテキストレイヤーを配置し、それに[グラデーションオーバーレイ]を適用しています。

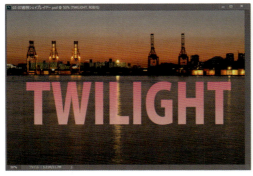

2 テキストレイヤーの[レイヤースタイル]で[透明シェイプレイヤー]のチェックを外します。これにより、[レイヤー効果]が透明部分（テキスト部分）だけでなく、レイヤー全体に及びます。このように、効果をシェイプやテキストだけにとどめるかどうかを選ぶことができます。

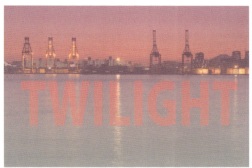

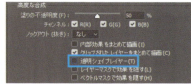

レイヤーマスクで効果を隠す
初期設定:チェックなし

1 最初の画像とレイヤーの状態です。[内部効果をまとめて描画]と同じものです。画像レイヤーの上に、[シャドウ（内側）]と[カラーオーバーレイ]を適用し、[塗り]を100%としたテキストレイヤーを配置しています。

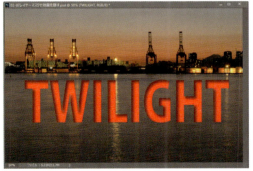

2️⃣ テキストレイヤーに対し、上下にグラデーション状のレイヤーマスクを作成します。すると、ドロップシャドウが消えるなど[レイヤー効果]の内容が変わり、図のようになります。

3️⃣ テキストレイヤーの[レイヤースタイル]で[レイヤーマスクで効果を隠す]にチェックを入れると、最初の状態のままでレイヤーマスクがかかるようになります。

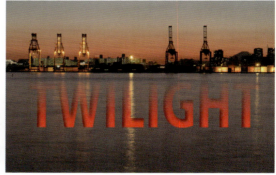

ベクトルマスクで効果を隠す
初期設定:チェックなし

1️⃣ 画像の状態です。[内部効果をまとめて描画]と同じですが、テキストレイヤーにはパスが作成されています。

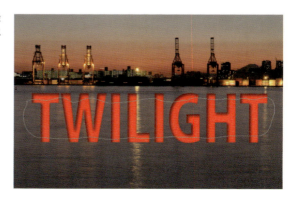

2 ［レイヤー］→［ベクトルマスク］→［現在のパス］を選ぶと、図のように、パスの外側がマスクされ、またパスの境界部分に、レイヤー効果が加わります。

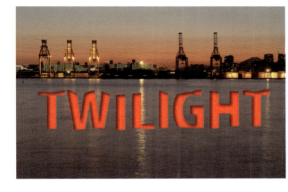

3 テキストレイヤーの［レイヤースタイル］で［ベクトルマスクで効果を隠す］にチェックを入れると、パスの境界部分のレイヤー効果（ここでは［シャドウ（内側）］）が消えます（文字の上端部分）。このようにベクトルマスクの部分で［レイヤー効果］が隠されます。

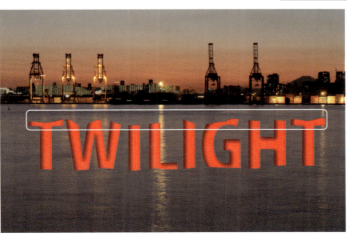

Part 1

Part 2
レイヤースタイルと描画モード

Part 3

87

Tip
37

レイヤー効果の[ブレンド条件]の使い方は?

↓

[上下に重なったレイヤー相互の濃度の違いで、
どちらのレイヤーを優先表示するかを調整]

[ブレンド条件]では、上層または下層のレイヤーに対し、指定した濃度域を見せる、あるいは逆に隠すことができる機能です。例えば、上層レイヤーの暗い範囲の階調を隠して、下層を透けさせるといったことが可能です。レイヤーの[不透明度]がレイヤー全体を調整するのに対し、[ブレンド条件]では、階調を指定できるのが特徴です。[グレー]を指定した場合はRGB全体が対象になりますが、RGB画像の場合[レッド][グリーン][ブルー]を選ぶことで、各チャンネル（各色）に対する調整も可能です。

画像の状態です。上層は黒バックの一輪のチューリップ、下層のレイヤーはチューリップ畑です。

1 レイヤーパネルで上層レイヤーをダブルクリックし[レイヤースタイル]を開きます。ここでは[ブレンド条件]を[グレー]にして[このレイヤー]の左端の▲のスライダーを右にずらします。すると上層レイヤーの黒い部分が透明になります。これは、上層レイヤーに対し、スライダーを動かした分だけ、シャドウの階調を透明にするという操作です。逆に右端のスライダーを操作することで、ハイライト階調を透明にすることができます。

2 各スライダーは2つに分割することができます。分割しないと、スライダーで指定した階調値を境に透明と不透明がはっきりと分かれます。しかし、スライダーを分割すると、分割した幅に応じて透明〜不透明の変化がなだらかになります。これにより、合成の不自然さを回避することができます。図は、シャドウのスライダーを分割した状態です。スライダーを分割するには[Alt]キーを押しながらスライダーをドラッグします。

3 [下になっているレイヤー]では、シャドウ側のスライダーを右にずらすことで下層レイヤーのシャドウ側の階調が見えてきます。ハイライト側のスライダーを左にずらせばハイライト側の階調が見えてきます。図は、ハイライトのスライダーを左にずらした様子です。

Tip
38

ドロップシャドウを思い通りに調整したい

↓

[ドロップシャドウの各設定項目を理解する]

［レイヤースタイル］の［ドロップシャドウ］を使うと、簡単にオブジェクトに影をつけることができます。影の角度、色、濃さ、距離、エッジ、ボケ具合などの表現が可能です。作例では、オブジェクトの右下に影を加えます。なお、［ドロップシャドウ］を表現するには周囲が透明のオブジェクトが必要です。

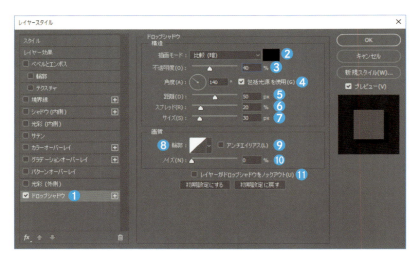

❶［レイヤースタイル］の［ドロップシャドウ］にチェックを入れます。

❷描画モード：レイヤーの描画モードと同じです。下層のレイヤーとの兼ね合いで選びます。［描画モード］の横のカラーピッカーで、描く影の色を指定します。

❸不透明度：描画する影の不透明度を指定します。

❹角度：影をどの方向に描画するか、つまり影に対する光源の向きを指定します。［包括光源を使用］は［レイヤースタイル］を設定した複数のレイヤーに対し、光源の角度を統一するためのものです。最初にチェックを入れた［レイヤースタイル］で指定されている角度が包括光源となります。

❺距離：オブジェクトと影の距離を指定します。

❻スプレッド：影のエッジのメリハリを調整します。

100％にすると境界のはっきりしたエッジになります。［サイズ］が0％のときも境界のエッジがはっきりします。

❼サイズ：影の大きさを指定します。0％ではオブジェクトと同じ大きさになります。

❽輪郭：影の濃淡を調整できます。ポップアップメニューで選べるほか、トーンカーブ状の［輪郭エディター］でカスタマイズも可能です。

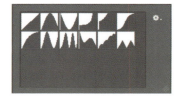

⑨アンチエイリアス：チェックを入れると、影の輪郭を
なめらかにします。
⑩ノイズ：影にザラザラとしたノイズを加えます。
⑪レイヤーがドロップシャドウをノックアウト：描かれ
たドロップシャドウよりも、レイヤー上のオブジェクトを優

先するかしないかを選びます。オブジェクトの［塗り］の
値が調整され、透明や半透明になっているような場合、
チェックが入るとオブジェクト部分には影が表示されま
せん。チェックをしないと、オブジェクトの内側にも影が
表示されます。

白地の「背景」に角丸四角形のオブジェクトレイヤーを
配置しています。

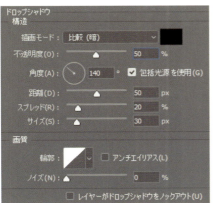

ドロップシャドウの例1

● オブジェクトレイヤーの
　［不透明度］［塗り］ともに100%
● 描画モード：比較（暗）
● 描画色：黒
● 不透明度：50%
● 距離：50px
● スプレッド：20%
● サイズ：30px
● 輪郭：線形
● アンチエイリアス：オフ
● ノイズ：0%
● レイヤーがドロップシャドウをノックアウト：オフ
　（塗りが100%なのでこの設定は影響しない）

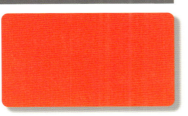

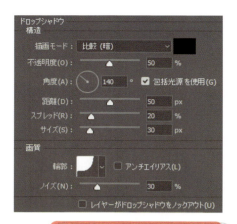

ドロップシャドウの例2

● オブジェクトレイヤーの[不透明度]は100%、
　[塗り]は50%
● 描画モード:比較(暗)
● 描画色:黒
● 不透明度:50%
● 距離:50px
● スプレッド:20%
● サイズ:30px
● 輪郭:くぼみ-深く
● アンチエイリアス:オフ
● ノイズ:30%
● レイヤーがドロップシャドウをノックアウト:オフ

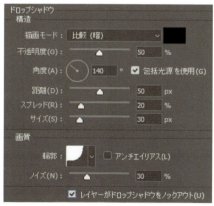

ドロップシャドウの例3

● オブジェクトレイヤーの[不透明度]は100%、
　[塗り]は50%
● 描画モード:比較(暗)
● 描画色:黒
● 不透明度:50%
● 距離:50px
● スプレッド:20%
● サイズ:30px
● 輪郭:くぼみ-深く
● アンチエイリアス:オフ
● ノイズ:30%
● レイヤーがドロップシャドウをノックアウト:オン

※[レイヤーがドロップシャドウをノックアウト]にチェックを入れたため、その他は「例2」と同じ設定ですが、オブジェクトの描画部分が不透明になります。

Tip

39

ベベルとエンボスのパラメーターを教えて

［ベベルとエンボスの各設定項目を適用例で理解］

［ベベルとエンボス］はオブジェクトを手軽に立体的に見せることができる、便利な機能です。ベベルは傾斜や盛り上がりの、エンボスは浮き彫りの意味です。ここでは、各パラメーターのその効果について解説します。

ブルーの「背景」の上に、「禁止」マークのオブジェクトレイヤーを配置しています。

❶［レイヤースタイル］の［ベベルとエンボス］にチェックを入れます。

❷スタイル：どのように立体的に見せるか、その種類を選びます。いずれも単独での使用が可能ですが、［エンボスの境界線を描く］だけは、［レイヤースタイル］の［境界線］を利用しているときに効果が有効になります。

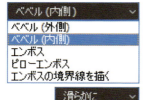

❸テクニック：ベベルやエンボスのエッジの強さを選びます。

❹深さ：立体に見せるベベルの深さを調整します。

❺方向：光の向きを選びます。

❻サイズ：ベベル効果、エンボス効果の大きさを調整します。

❼ソフト：ベベル効果、エンボス効果の境界部分の滑らかさを調整します。

❽角度：光源の角度を調整します。

❾包括光源を使用：［レイヤースタイル］を設定した複数のレイヤーに対し、光源の角度を統一するためのものです。最初にチェックを入れた［レイヤースタイル］で指定されている角度が包括光源となります。

❿高度：光源の高さを調整します。高度が低いと陰影がよりはっきりします。

⓫光沢輪郭：ベベル効果、エンボス効果が表れている部分の光沢感を指定します。［輪郭エディター］でカスタマイズすることもできます。

⓬アンチエイリアス：チェックを入れると、輪郭の微細な部分をなめらかにします。

⓭ハイライトのモードと不透明度：明るい効果が現れた部分の描画モードの選択と不透明度の調整を行います。

⓮シャドウのモードと不透明度：暗い効果が現れた部分の描画モードの選択と不透明度の調整を行います。

⓯輪郭：チェックを入れると、ベベルに輪郭が加わります。その際、輪郭のスタイルやアンチエイリアス、輪郭の効果を加える範囲を指定、調整します。

⓰テクスチャ：ベベルやエンボス部分に指定した［パターン］を乗せます。［元の場所にスナップ］は、パターンを移動した際にドキュメントの左上にパターンを揃えます。［比率］でパターンの大きさを変更し、［深さ］でパターン適用の強さを調整します。［階調の反転］ではパターンの階調を反転し、［レイヤーにリンク］ではレイヤーの移動時にテクスチャも同じように移動するかを指定できます。

ベベルとエンボスの例1：
ベベル（外側）

- ●テクニック：滑らかに
- ●深さ：200%
- ●方向：上へ
- ●サイズ：35px
- ●ソフト：10px
- ●角度：140°
- ●高度：30°
- ●光沢輪郭：直線
- ●アンチエイリアス：オフ
- ●ハイライトのモードと色、不透明度：スクリーン、
  白（RGB＝255）、70%
- ●シャドウのモードと色、不透明度：乗算、
  黒（RGB＝0）、70%

ベベルとエンボスの例2：
ベベル（内側）

- ●テクニック：滑らかに
- ●深さ：300%
- ●方向：上へ
- ●サイズ：35px
- ●ソフト：10px
- ●角度：140°
- ●高度：30°
- ●光沢輪郭：直線
- ●アンチエイリアス：オフ
- ●ハイライトのモードと色、不透明度：スクリーン、
  白（RGB＝255）70%
- ●シャドウのモードと色、不透明度：乗算、
  黒（RGB＝0）、70%

ベベルとエンボスの例3：
エンボス

- ●テクニック：滑らかに
- ●深さ：400%
- ●方向：上へ
- ●サイズ：40px
- ●ソフト：5px
- ●角度：140°
- ●高度：30°
- ●光沢輪郭：直線
- ●アンチエイリアス：オフ
- ●ハイライトのモードと色、不透明度：スクリーン、
  白（RGB＝255）、70%
- ●シャドウのモードと色、不透明度：乗算、
  黒（RGB＝0）、70%

ベベルとエンボスの例4：
ピローエンボス

- ●テクニック:滑らかに
- ●深さ:400%
- ●方向:上へ
- ●サイズ:40px
- ●ソフト:5px
- ●角度:140°
- ●高度:30°
- ●光沢輪郭:直線
- ●アンチエイリアス:オフ
- ●ハイライトのモードと色、不透明度:スクリーン、
  白（RGB＝255）、70%
- ●シャドウのモードと色、不透明度:乗算、
  黒（RGB＝0）、70%

ベベルとエンボスの例5：
エンボスの境界線を描く

- ●テクニック:滑らかに
- ●深さ:200%
- ●方向:上へ
- ●サイズ:35px
- ●ソフト:10px
- ●角度:140°
- ●高度:30°
- ●光沢輪郭:直線
- ●アンチエイリアス:オフ
- ●ハイライトのモードと色、不透明度:スクリーン、
  白（RGB＝255）、70%
- ●シャドウのモードと色、不透明度:乗算、
  黒（RGB＝0）、70%

[Point]

[エンボスの境界線を描く]を利用する場合は、[境界線]が有効に
なっている必要があります。ここでは図のように指定しています。

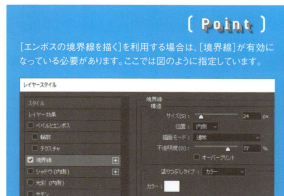

ベベルとエンボスの例6：
輪郭の適用

［ベベル（外側）］か［ベベル（内側）］を選んでいる場合に効果があります。［輪郭］にチェックを入れると輪郭の幅の調整が可能になります。図は「ベベルとエンボスの例1：ベベル（外側）」に対して図のような［輪郭］を設定したものです。

ベベルとエンボスの例6：
テクスチャの適用

［ベベルとエンボス］の効果に指定したテクスチャを加えます。図は「ベベルとエンボスの例3：エンボス」に対して［テクスチャ］にチェックを入れて［パターン］に［水彩画］を指定し、図のように設定したものです。

ベベルとエンボスにテクスチャを組み合わせたい

↓

[さまざまな凸凹のある表面処理をすることが可能]

［ベベルとエンボス］では立体的な盛り上がりを表現する以外に、テクスチャを加えることも可能です。それによりさまざまな凸凹のある表面処理をすることができます。ここでは［カラーオーバーレイ］も併用して、チョコレートドーナツのような表現を目指してみます。

1　淡いグレーのベタ塗りレイヤーを作成します。その上に、中央がくりぬかれたドーナツ状の円形のオブジェクトを配置します。このオブジェクトの元は[シェイプ]ツールで作成しています。

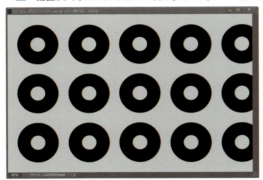

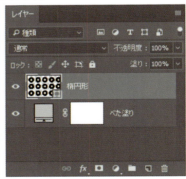

2　［レイヤースタイル］の［ベベルとエンボス］で［ベベル（内側）]を選び、ドーナツのような丸みのある立体感が得られるように各パラメーターを調整します。ここでは図のようにしました。

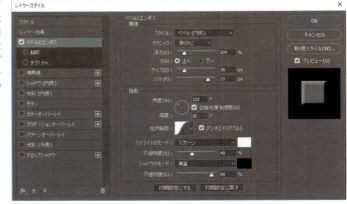

3 次に[輪郭]にチェックを入れます❶。これをうまく使うと、ドーナツのような丸みが得られます。[輪郭]に[線形]を選び❷、[範囲]を80%としています❸。

4 [テクスチャ]を指定します❶。[パターン]に[水彩画]を選び❷、[比率]と[深さ]を調整して❸、適度な凸凹感を得ます。ここまでの設定で、真っ黒のドーナツができあがります。

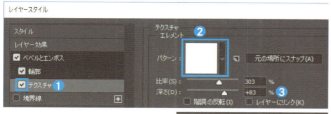

5 チョコレートドーナツ風にしてみましょう。[カラーオーバーレイ]にチェックを入れ❶、[描画モード]は[通常]❷とし、焦げ茶色を選びます❸。必要に応じて[不透明度]を調整します❹。

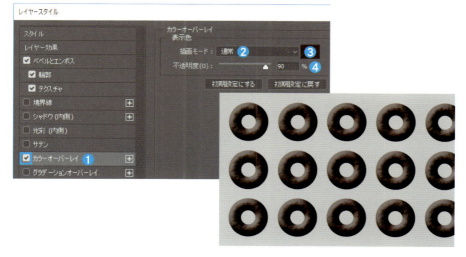

Tip
41

オリジナルのパターンを使いたい

↓

[パターンにしたい画像で[パターンを定義]を行う]

オリジナルのパターンを作るには、まずパターンの元となる画像を開いて選択範囲を作成し、[編集] → [パターンを定義] を実行し、登録します、次に、[レイヤースタイル] の [パターンオーバーレイ] などで登録したパターンを適用します。

1 パターンにしたい画像を開き、[長方形選択]ツール❶で選択範囲を作成します。このとき[ぼかし]は0pxにします❷。形は正方形、長方形のいずれかにします。難しいのは、どの部分を選択範囲にするかです。期待通りのパターンにならないことも多々あります。そのような場合は、パターンを最終的に適用した結果から、必要に応じて再度パターンにする選択範囲の位置や大きさを調整し、パターンを作り直してください。

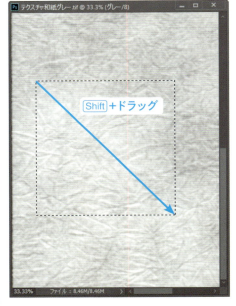

2 [編集]メニューの[パターンを定義]を選びます❶。[パターン名]のダイアログボックスが出たら、名前を入力して❷[OK]をクリックします。

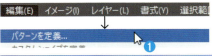

3 パターンを適用したい画像を開きます。この段階では図のように見えています。ここでは額縁マットのようなレイヤー効果のかかっている「長方形1」のシェイプにパターンを適用します。

4 シェイプレイヤー「長方形1」の[レイヤースタイル]を開きます。すでに[ベベルとエンボス][シャドウ（内側）]を設定していますが、さらに[パターンオーバーレイ]❶でオリジナルのパターンを利用します。[パターン]をクリックすると❷、先に登録したパターンが表示されるので、クリックしてパターンを適用します❸（新規のパターンは、現在選んでいるパターンライブラリに追加されます）。

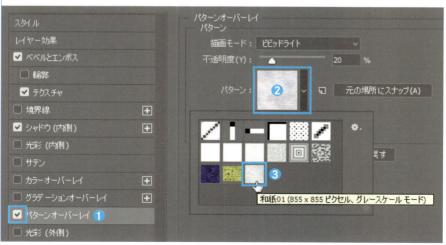

5 「長方形1」レイヤーにクリップされている山の画像に和紙のパターンが追加されます。

6 パターンのセットを切り替えると、このパターンは破棄されてしまいます。このパターンを今後も使いたい場合は、[パターン]のポップアップメニューからさらにプルダウンメニューを開き❶[パターンの保存]を選んで❷保存します。なお、この保存操作では、選択しているライブラリ全体が保存されます。

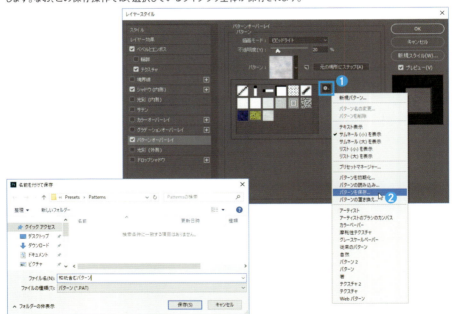

Tip 42

境界線を二重に使ってポップに見せたい

↓

［境界線（内側）］と［境界線（外側）］を 併用するのが簡単

文字やオブジェクトなどに色の［境界線］を加えることで、ポップな印象を与えることができます。その［境界線］を二重にすることで、よりインパクトのある表現が可能になります。簡単な手法としては、［境界線（内側）］と［境界線（外側）］を重ねる方法があります。

1 ［ベタ塗りレイヤー］を下層に配置し、その上に、2つのテキストレイヤーを配置しています。テキストレイヤーは複製されたまったく同じものです。

2 まずは下に配置されているテキストレイヤーに対し、［レイヤースタイル］の［境界線］を指定します❶。［位置］は［内側］とし❷、［塗りつぶしタイプ］は［カラー］とします❸。その他の［サイズ］や［描画モード］［不透明度］［カラー］は、オブジェクトの形や大きさ、下層のレイヤーの状態などに合わせて調整し［OK］します。

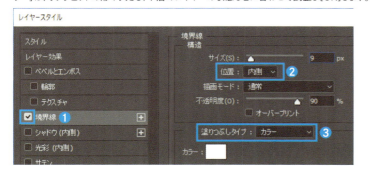

次に上に配置したテキストレイヤーに対して[レイヤースタイル]の[境界線]を指定します❶。[境界線]の位置を[外側]❷にして[カラー]❸を指定し直すと二重の境界線になります。[サイズ][描画モード][不透明度]などは、状態に合わせて調整してください。

レイヤースタイル	
スタイル	境界線 構造
レイヤー効果	サイズ(S)：▲ 9 px
☐ ベベルとエンボス	位置： 外側 ⌄ ❷
☐ 輪郭	描画モード： 通常 ⌄
☐ テクスチャ	不透明度(O)： ▲ 90 %
☑ 境界線 ❶ ⊞	☐ オーバープリント
☐ シャドウ(内側) ⊞	塗りつぶしタイプ： カラー ⌄
☐ 光彩(内側)	カラー ▮ ❸
☐ サテン	

最終的なレイヤーの状態です。

Tip 43

平面に穴の空いて凹んだ画像を作りたい

[レイヤースタイルの［シャドウ（内側）］を利用する]

穴が空いで凹んでいるように見せるには、［シャドウ（内側）］を使います。オブジェクトの内側に影が表示されるので、凹んだように見えます。その際、光源の位置を考えて影の向きを整えたり、周囲や背景の明るさの状態などにも配慮すると、より完成度の高いものを作ることができます。

1 グラデーションレイヤーを作成します。グラデーションの内容は、左上から右下へ、明るい白からグレーへと変化するものです。

2 オブジェクトを作成、配置します。これは、シェイプツールで小さな黒い円を描き、それを規則的に配置した上で、1つのレイヤーにまとめたものです。そのレイヤーの［塗り］を0％にします。

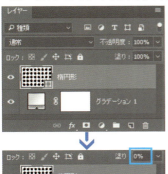

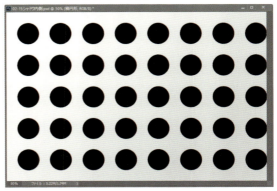

3 オブジェクトのレイヤーの[レイヤースタイル]を開きます。[シャドウ(内側)]にチェックを入れ①、影を演出します。作例は[描画モード]は[乗算]②、[描画色]は黒③、[角度]は135度④、[距離]は20px⑤、[チョーク]は0%⑥、[サイズ]は21px⑦、[輪郭]は[線形]⑧、[アンチエイリアス]はオン⑨、[ノイズ]は0%⑩としています。以上のような設定で、穴が開いて凹んだ効果が得られます。背景の色によっては、[境界線]にもチェックを入れ、円の縁を目立たせたほうがいい場合もあります。

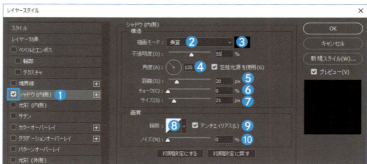

4 応用編として、円の内側に色をつけてみましょう。単色ではなく、背景のグラデーションに合わせ、左上から右下にかけて徐々に暗くなる赤のグラデーションにします。[レイヤースタイル]を再び開き、[グラデーションオーバーレイ]にチェックを入れます①。これは、赤のグラデーション②を135度の角度③に指定したものです。この設定によって、凹んだ部分に赤のグラデーションが現れます。

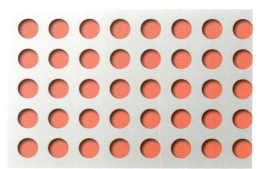

Tip

44

境界部分に色や光をまとわせる効果を加えたい

↓

[光彩（内側）と光彩（外側）を使いこなす]

［光彩（外側）］はオブジェクトの輪郭の外側に、また［光彩（内側）］はオブジェクトの輪郭の内側に、色（光）の線やにじみを加える効果があります。「線やにじみ」と書いたのは、いずれもボケを調整でき、ボケがなければ線になり、ボケがあればにじんで見えるためです。ここでは、各パラメーターの調整内容と、光彩のパターンをお見せします。

光彩（内側）

❶**描画モード**:光彩の描画モードを選びます。

❷**不透明度**:光彩の不透明度を調整します。

❸**ノイズ**:光彩にノイズを加えることができます。

❹**カラーとグラデーション**:単色を指定するか、グラデーションにするかを選ぶことができます。グラデーションの場合、グラデーションエディタで自由なグラデーションが可能です。

❺**テクニック**:比較的はっきりした効果の［精細］と、やわらかめの［さらにソフトに］があります。

❻**ソース**:光彩の効果をオブジェクトの［中央］からかけるか、［エッジ］側からかけるかを指定します。

❼**チョーク**:光彩のぼかし具合を調整します。値が大きいほどぼかしが弱まり、線がはっきりします。

❽**サイズ**:光彩の大きさ（幅）を調整します。値が大きいほど、幅が太くなります。

❾**輪郭**:光彩効果の輪郭を指定します。

❿**アンチエイリアス**:チェックを入れると［輪郭］が滑らかになります。

⓫**範囲**:［輪郭］の範囲を調整します。値が大きいほど輪郭がかかる範囲が広がり、ボケの効果が得られやすくなります。

⓬**適用度**:光彩の発生位置をランダムにします。値が大きいほど［ノイズ］のような効果が得られます。

1 ［ベベルとエンボス］でボタン風に立体化したものです。これに［光彩（内側）］でさらにボタンとしての見やすさを加えてみます。

2 図のような設定で［光彩（内側）］を加えました。違和感のないよう同系色を選んでいます。縁取りが現れ、ボタンが明瞭に見えるようになります。

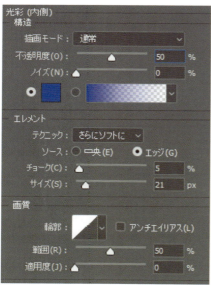

光彩（外側）

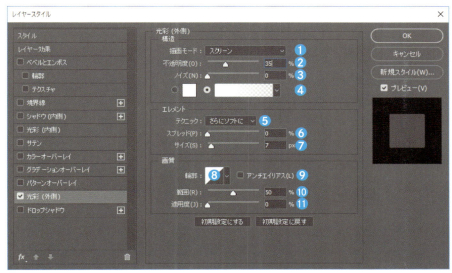

❶**描画モード**:光彩の描画モードを選びます。

❷**不透明度**:光彩の不透明度を調整します。

❸**ノイズ**:光彩にノイズを加えることができます。

❹**カラーとグラデーション**:単色を指定するか、グラデーションにするかを選ぶことができます。グラデーションの場合、グラデーションエディタで自由なグラデーションが可能です。

❺**テクニック**:比較的はっきりした効果の［精細］と、やわらかめの［さらにソフトに］があります。

❻**スプレッド**:光彩をぼかします。値が小さいほどボケが強まります。

❼**サイズ**:光彩の大きさ（幅）を調整します。値が大きいほど、幅が太くなります。

❽**輪郭**:光彩効果の輪郭を指定します。

❾**アンチエイリアス**:チェックを入れると［輪郭］が滑らかになります。

❿**範囲**:［輪郭］の範囲を調整します。値が大きいほど輪郭の幅が広がり、ボケの効果が得られやすくなります。

⓫**適用度**:光彩の発生位置をランダムにします。値が大きいほど［ノイズ］のような効果が得られます。

1 [ベベルとエンボス]でボタン風に立体化したものです。これに[光彩（外側）]とさらに[光彩（内側）]でボタンの背面から間接光が漏れているような効果を加えてみます。

2 図のような設定で[光彩（外側）]を加えました。色はオレンジ系にし、[描画モード]は[リニアライト]です。これにより、ボタンの外側が発光しているように見えます。

3 先の［光彩（外側）］を適用したシェイプに対し、さらに［光彩（内側）］も図のような設定で加えました。「光がにじむ」「光があふれる」といった効果のある「光彩」をより「らしく」見せる工夫です。「外側」だけでなく「内側」もあわせて適用することで、光がオブジェクトの境界部分に回り込んでいるように見え、リアルな見え方になります。

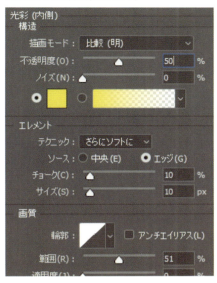

4 全体的な統一感が出るようにテキストにも［光彩（外側）］を適用したのが、下の図です。ボタンの内側から光が漏れ出すようなイメージが得られます。

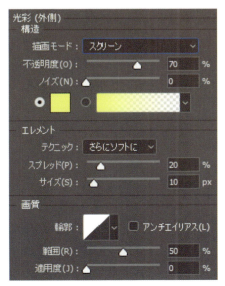

Tip
45

オブジェクトに色をかぶせたい

↓

［カラーオーバーレイ］や
［グラデーションオーバーレイ］を使う

［カラーオーバーレイ］を使えばオブジェクトに指定した色を乗せることができます。［グラデーションオーバーレイ］ではオブジェクトにグラデーションを乗せることができます。

カラーオーバーレイ

［カラーオーバーレイ］は、オブジェクトに対して乗せる色と描画モードを指定するだけです。

1 作例は、白で塗りつぶしたシェイプレイヤーに対し、［ベベルとエンボス］で立体化したボタンです。元々のオブジェクトの色も影響するので、ここでは元のボタンの色を白にしています。

2 ［カラーオーバーレイ］を使って［描画モード］は［通常］**①**で、［不透明度］は50%**②**で赤色**③**を乗せたものです。

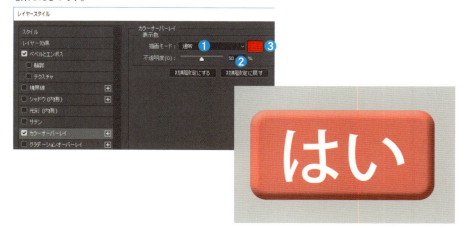

グラデーションオーバーレイ

［グラデーションオーバーレイ］は、指定したグラデーションをオブジェクトに乗せます。パラメーターが多そうですが、それほど難しくはありません。

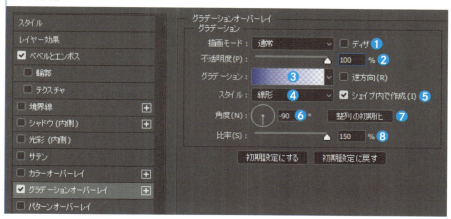

❶描画モードと❷不透明度：指定は［カラーオーバーレイ］と一緒です。

❸グラデーション：［開始点］と［終了点］、また必要に応じてその中間の色や不透明度を指定します。

❹スタイル：［線形］や［円形］などを指定できます。

❺シェイプ内で作成：グラデーションの始まりと終わりをそのシェイプ内で作成するか、ドキュメントの大きさで作成するかを選びます。

❻角度：グラデーションの角度です。

❼整列の初期化：ボタンを押すと、グラデーションの開始点と終了点をリセットします。

❽比率：グラデーションの変化を滑らかにするか極端にするかの調整で、数値が大きいほど滑らかになります。

作例では上図のような設定で、青系の色で上下に変化する［グラデーションオーバーレイ］を適用しました。

オブジェクトにパターンをかぶせたい

↓

[パターンオーバーレイ]で用意されているパターンや オリジナルのパターンをかぶせられる

オブジェクトやレイヤーに対してパターンをかぶせるのは簡単です。Tip40「ベベルとエンボスにテクスチャを組み合わせたい」で解説しているのと同様の方法です。オブジェクトやレイヤーに対して［パターンオーバーレイ］で好きなパターンを選ぶだけです。Tip41「オリジナルのパターンを使いたい」で登録したオリジナルのパターンを利用することも可能です。

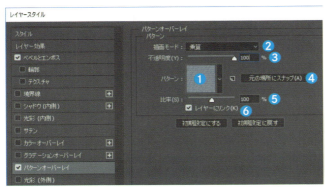

❶パターン:パターンの種類を選びます。

❷描画モード:パターンの［描画モード］を設定します。
❸不透明度:パターンの［不透明度］を設定します。
❹元の場所にスナップ:［移動］ツールで［パターン］をずらしてしまったのを元に戻す場合に押します。
❺比率:パターンの大きさを調整します。

❻レイヤーにリンク:［レイヤースタイル］を［OK］して通常の画像ウィンドウに戻ったとき、［移動］ツールでオブジェクトを動かすのに合わせてパターンも移動するか否かを選ぶためのものです。チェックしてあればオブジェクトとレイヤーが一緒に移動します。チェックがないと、パターンがずれることがあります。

1 テキストを乗せたシェイプレイヤーに対して［ベベルとエンボス］を適用したものをベースにしています。

2 ［パターンオーバーレイ］の［パターン］のプルダウンメニュー❼から［パターン2］のセットを選び、そこから［スレート］を指定しました。［描画モード］は［乗算］としています。

Tip
47

各スタイルを初期化したい。開いた状態に戻したい

↓

[レイヤースタイル]ダイアログボックスで [Alt]キーを押すと現れる[初期化]ボタンを押す

[レイヤースタイル]に表示されている[キャンセル]というボタンは、[Alt]キーを押している間は[初期化]ボタンに変わります。あるレイヤーに対して[レイヤースタイル]をはじめて適用する場合、[初期化]ボタンにより、各パラメーターは初期化（効果が適用されない状態）になります。また何らかの[レイヤースタイル]がすでに適用されており、それを再調整した場合は、[初期化]ボタンによって、再調整前の状態に戻ります。

はじめてレイヤースタイルを適用するとき

1 あるレイヤーに対し、[レイヤースタイル]を新規に適用します。

2 [レイヤースタイル]のパラメーターを調整します。

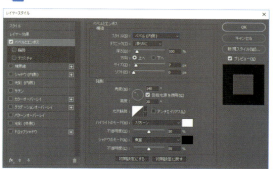

3 [Alt]キーを押して[初期化]ボタンをクリックすると、ダイアログボックスを開いたときの状態に戻ります。

すでにレイヤースタイルを適用しているとき

1 すでに何らかの[レイヤースタイル]が適用されているレイヤーをダブルクリックして[レイヤースタイル]を開きます。

2 再調整前のレイヤースタイルのパラメーターが表示されます。

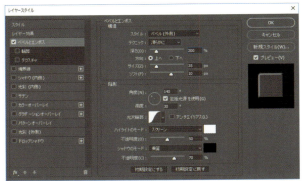

3 パラメーターを再調整したあと、[Alt]キーを押しながら[初期化]ボタンをクリックすると、再調整する前の状態に戻ります。

4 [初期設定にする]ボタン❶は、そのとき設定されているパラメーター値を初期値として記憶します。つまり押すたびに、パラメーターの初期設定値が上書きされます。[初期設定に戻す]ボタン❷は、その[初期設定にする]で設定したパラメーター値にします。

❶ 初期設定にする ❷ 初期設定に戻す

[Point]

[レイヤースタイル]の各パラメーターを、Photoshopのインストール時の値に戻したい場合は、[Ctrl]+[K]キーで表示される[環境設定]の[一般]にある[終了時に環境設定をリセット]ボタンを押し、Photoshopを再起動します。ただし、この操作によって[環境設定]をはじめPhotoshop自体がリセットされます。

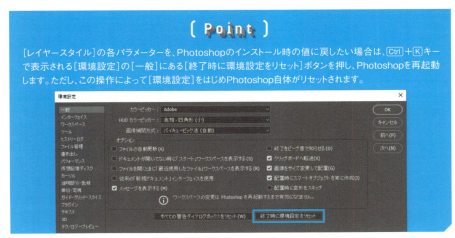

Tip

48

レイヤースタイルを別のレイヤーにコピーしたい

↓

[レイヤーパネルで[レイヤー効果]のアイコンを Alt キーを押しながらドラッグ&ドロップ]

［レイヤースタイル］を別のレイヤーにコピーすれば、いちから設定する必要が ないため、作業の効率化につながります。レイヤースタイルをコピーする方法は 簡単です。レイヤーパネルで［レイヤー効果］のアイコンを適用したいレイヤー に Alt キーを押しながらドラッグ&ドロップするだけです。

1 黒い枠の向こうに風景が見えています。左側のマド（レイヤーパネルの「長方形」❶）には［レイヤースタイル］ を適用しています。［ベベルとエンボス］［テクスチャ］［シャドウ（内側）］［パターンオーバーレイ］の4つを組み 合わせ、額縁マットのような立体感と紙の風合いを追加しています。右のマド（レイヤーパネルの「角丸長方形」❷）に は適用されておらず平面的です。こちらにも同じレイヤースタイルをコピーして適用します。

[Point]

Alt キーを押さずにドラッグすると、元のレイヤー のレイヤースタイルがドロップ先のレイヤーに移 動することになります。

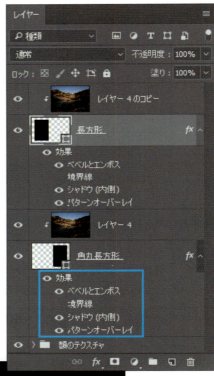

2 レイヤースタイルをコピーするには、レイヤーパネルで[レイヤー効果]のアイコン（fx）を、Altキーを押しながらレイヤーからレイヤーへドラッグ&ドロップします。

3 レイヤースタイルがコピーされ、右の「角丸長方形」のマドに、左の「長方形」のマドと同様のレイヤースタイルが適用されます。

3

調整レイヤーと
レイヤーマスク

Tip
49

調整レイヤーはどんなときに使うの?

↓

[明るさや色などを変えたいとき。
とくにあとから再調整する可能性がある場合]

通常の色補正では、[イメージ]メニューの[色調補正]から必要な機能を選びますが、その場合、画像(データ)そのものを改変します。そのため、色補正を繰り返すと「トーンジャンプ」や「色飽和」などの画質劣化が生じやすくなります。対して調整レイヤーを使った色補正は、レイヤーを結合、または統合するまでは画像が改変されません。さらに、調整レイヤーが残っている限りは何度でも調整のしなおしが可能で、その際も画質が劣化しないことがメリットです。

1 調整レイヤーはレイヤーパネルの[塗りつぶしまたは調整レイヤーを新規作成]ボタン❶から作成できます。この画像の明るさと彩度を調整してみます。まずは[トーンカーブ]❷を選びます。

2 属性パネルに表示される[トーンカーブ]で図のように調整します。

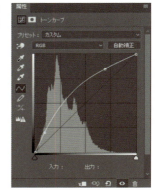

3　[トーンカーブ]の調整を終えたあとの画像とレイヤーパネ
　ル。レイヤーパネルには[トーンカーブ]の調整レイヤーが追
加されます。

4　次に[色相・彩度]の調整レイヤーを選び❶、属性パネルで
　[彩度]を上げます❷。

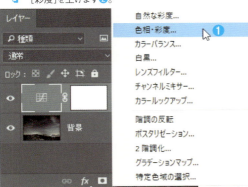

5　[色相・彩度]の調整を終えたあとの画像とレイヤーパネル。
　[トーンカーブ]と[色相・彩度]の2つの調整レイヤーが追
加されました。

6 調整をしなおしたい場合は、レイヤーパネルで調整レイヤーのサムネールをダブルクリックすると、調整画面が開き再調整が可能です。ここでは[トーンカーブ]を再調整し、シャドウを暗くしています。

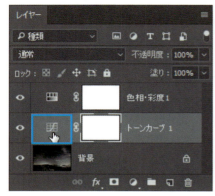
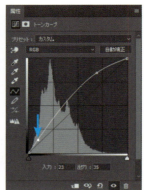

7 レイヤーを統合するまで(レイヤーパネルメニューをクリック❶→[画像を統合]を選択❷)、元画像(この場合「背景」)はそのままで、データの改変が行われません。そのため、再調整などを何度行っても、階調が階段状に変化するトーンジャンプや、白飛びや黒つぶれ、色飽和などの画質劣化は最低限で済みます。

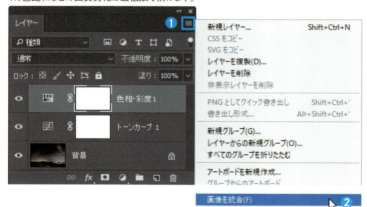

(Point)

調整レイヤーを作成するには、ほかに色調補正パネルから選んだり、[レイヤー]メニューの[新規調整レイヤー]から選ぶことができます。

調整レイヤーの効果を徐々に弱めていきたい

↓

レイヤーマスクにグラデーションを描く

調整レイヤーは、その作成時に自動的に［レイヤーマスク］が作成されます。調整レイヤーを追加した直後のレイヤーマスクは真っ白で、何も編集されていないので全面に効果が適用されます。これを描画ツールで黒と白に塗り分けることで、効果を部分的に無効にしたり、無効にした効果を元に戻したりすることができます。徐々に効果を抑えていくには［グラデーション］ツールを用います。レイヤーマスクでのグラデーションは、白～グレー～黒という無彩色の階調になりますが、白い部分は調整レイヤーの効果が100％適用され、グレーの部分ではグレーの濃度に応じて効果が減衰し、黒の部分で効果はゼロとなります。

1 朝焼けが写ったオリジナル画像と、［トーンカーブ］の調整レイヤーを追加し、カーブを引き下げていったん全面を暗くした画像です。

② 描画色と背景色を黒と白にします。[グラデーション]ツールを選び①、オプションバーで[描画色から背景色へ]②、[線形グラデーション]③を選びます。

③ 調整レイヤーのレイヤーマスクのサムネールをクリックしたのち①、[グラデーション]ツールで図のように下から上にドラッグします②。すると、描画色が白の部分は、調整レイヤーの効果が残り、黒の部分は調整レイヤーの効果がなくなります。またドラッグした幅の中では、上に行くほど徐々に効果が強まります。その結果、白で描画された画面上部はトーンカーブで暗くなり、黒で描画された画面下部は元の明るさのままとなります。白と黒の状態はレイヤーマスクサムネールで確認できます③。

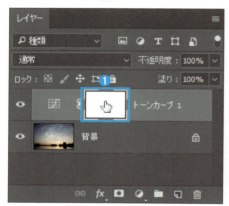

[Point]

ここでは[線形のグラデーション]を使いましたが、表現内容に合わせて[円形のグラデーション]なども試してください。

調整レイヤーの効果を部分に適用したい

↓

レイヤーマスクを利用すれば
効果を部分に適用できる

調整レイヤーを部分的に適用するには、やはりレイヤーマスクを編集して利用します。特定の部分に効果を適用したり、適用しなかったりさせるには、[ブラシ]ツールや[選択範囲]を使います。ここでは、効果の適用範囲を先に指定する方法と、あとから指定する方法の2つを紹介します。

先に適用範囲を指定する方法

1 マカロンの写真があります。このうち3つのマカロンだけを残して、あとはモノクロにしてみます。最初に選択範囲を作成しますが、ここでは作成しやすい中央の3つのマカロンを選択範囲にします。[クイック選択]ツールで図のような選択範囲を作成しました。

2 周囲のマカロンをモノクロにしたいので、Ctrl + Shift + I キーのショートカットで[選択範囲を反転]を実行します。

③ ［白黒］の調整レイヤーを選んで、モノクロ化します。

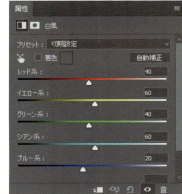

④ 選択範囲はモノクロになり、選択範囲でない部分はもとのカラー画像のままとなります。

あとから適用範囲を指定する方法

① 全面がカラーのマカロンに対して、［白黒］の調整レイヤーを追加し、いったん全面をモノクロにします。

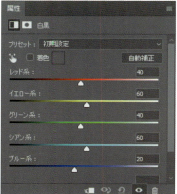

2 ［白黒］の調整レイヤーのレイヤーマスクのサムネール
をクリックして選んでおきます。

3 描画色を黒として、［ブラシ］ツールを選びます。［ブラ
シ］ツールの［直径］や［硬さ］などは、適宜調整します。

4 ［ブラシ］ツールで、元のカラー画像に戻したい部分をド
ラッグします。これは中央のマカロン部分をドラッグしたと
ころですが、レイヤーパネルを見ると、ドラッグした範囲が黒くなり、
それ以外は白となります。

 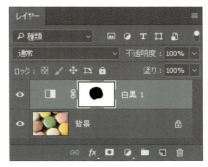

5 さらにその左右のマカロン部分を［ブラシ］ツールでド
ラッグしたところです。

 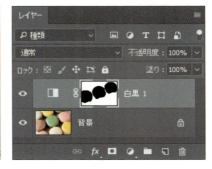

6 ドラッグのときブラシがはみ出して、このように不要な部分までカラーにしてしまったら、[ブラシ]ツールの描画色を白に変えてその範囲をドラッグすると、再びモノクロになります。

〔 Point 〕

ツールパネルの[描画色と背景色を初期設定に戻す]ボタン❶を押すと、描画色／背景色が、黒／白(レイヤーマスクサムネールの選択時は白／黒)に初期化されます。その状態で、右隣にある[描画色と背景色を入れ替え]ボタン❷を押すと、描画色と背景色が反転します。それぞれのショートカットキーは⒟、⒳です。レイヤーマスクを編集する際は、ブラシを使う前に⒟キーで描画色と背景色を初期化して、ブラシの使用中は⒳キーで描画色と背景色(白と黒)を入れ替えながら塗り分けていくと効率的に作業できるでしょう。

Tip
52

レイヤーマスクの濃さを変えたい

↓

レイヤーマスクの属性パネルの
[濃度]で調整する

レイヤーマスクに対し、属性パネルで［濃度］を変えることで、マスクの濃さを加減することができます。はじめは［濃度］100％ですが、その値を小さくすると、レイヤーマスクの黒い部分が次第に白、つまりマスクとしては透明に近づいていきます。その結果、調整レイヤーの効果が全面にかかるようになります。レイヤーマスクの白い部分においては変化はありません。

1 調整レイヤーの［白黒］とレイヤーマスクを使い、一部をモノクロ化した作例です。調整レイヤーのレイヤーマスクサムネールをクリックしておきます。

2 属性パネル開き、［濃度］を調整します。はじめは［濃度］が100％だったのを50％にします。カラーの部分がモノクロに近づきます。

③ これは、レイヤーマスクの濃度が下がったために、調整レイヤーの[白黒]の効果が強まったことを意味します。レイヤーマスクサムネールも黒ではなく、グレーに変化します。

④ さらに[濃度]を0%にすると、全面がモノクロになります。これは、レイヤーマスクを無効化することと同等です。レイヤーマスクサムネールには黒やグレーの部分がなくなって白だけになっています。

レイヤーマスクの白黒を反転させたい

↓

レイヤーマスクを選び属性パネルの
［反転］をクリック

いったん作成したレイヤーマスクの白と黒を反転させるには、レイヤーマスクを選んだ上で、属性パネルの［反転］ボタンをクリックします。

1 調整レイヤーの［白黒］とレイヤーマスクを使い、一部をモノクロ化した作例です。レイヤーマスクサムネールをクリックして選択しておきます。

2 属性パネルで［反転］をクリックします。レイヤーマスクの白と黒が反転します。その結果、この画像ではモノクロとカラーの範囲が入れ替わります。

Tip 54

レイヤーマスクを一時的にオフにしたい

↓

レイヤーマスクサムネールを [Shift]＋クリック

レイヤーパネルで、レイヤーマスクサムネールを [Shift] キー＋クリックすると、レイヤーマスクの効果を無効化することができます。これによって、調整レイヤーの効果が過不足なく、必要な箇所に適用されているかどうかなどが確認しやすくなります。

1 オリジナル画像は暗い状態です。そこでトーンカーブの調整レイヤー❶を適用し、円形のレイヤーマスク❷でカワセミを中心に明るく処理します。

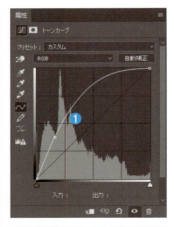

② 1の設定で調整レイヤーが適用された状態です。背景は暗いままでカワセミが明るくなりました。

③ 調整レイヤーの適用されている画像で、レイヤーマスクサムネールを Shift キーを押しながらクリックします①。すると、レイヤーマスクサムネールに[×]が表示され、レイヤーマスクが無効になります②。

④ 結果として調整レイヤーの効果が全面にかかることになります。レイヤーマスクが有効／無効の画像を見比べて、調整レイヤーの効果の強さやマスクの範囲が適切かを確認できます。再度レイヤーマスクサムネールを Shift ＋クリックすると[×]が消え、レイヤーマスクが有効になります。

Tip 55

別のレイヤーでも同じレイヤーマスクを使いたい

[レイヤーマスクを Alt +ドラッグでコピー]

画像編集では、同じ部分に対して明るさ補正と色補正などのように、複数の調整レイヤーを適用したいことがあります。その場合、1つの調整レイヤーに対して作成したレイヤーマスクを他の調整レイヤーに Alt キー＋ドラッグすることで、簡単にレイヤーマスクを流用（コピペ）することができます

1 オリジナルの画像のです。ねこの人形の部分だけ明るくし、色味を変えていきます。まず[クイック選択]ツールでねこの人形部分だけを選択範囲にします。

2 選択範囲が作成されたまま、[トーンカーブ]の調整レイヤーを作成し、属性パネルで明るくします。

3 ねこの人形部分だけがトーンカーブで明るくなります。調整レイヤーを作ったときに選択範囲は解除されます。

4 次に[色相・彩度]の調整レイヤーを作成し、色相と彩度を調整します。この段階では画像全体に色補正がかかります。ねこの人形以外にも、とくにテーブルが赤みを帯びてるのがわかります。

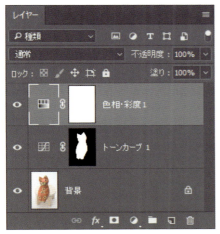

5 レイヤーパネルで、[トーンカーブ]の調整レイヤーのレイヤーマスクのサムネールにマウスを合わせ、Altキーを押しながら[色相・彩度]のレイヤーマスクのサムネールにドラッグ&ドロップします。[レイヤーマスクを置き換えますか?]という画面が出たら[はい]を押します。

6 あとから作った[色相・彩度]調整レイヤーにもレイヤーマスクが流用され、ねこの人形部分だけに[色相・彩度]の効果がかかるようになります。

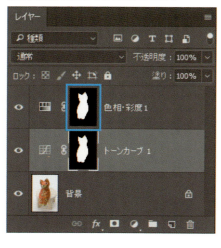

調整レイヤーの効果をオブジェクトだけに適用したい

↓

レイヤー間での Alt ＋クリックで
クリッピングマスクにする

調整レイヤーのすぐ下のレイヤーが（透明部分がある）オブジェクトであれば、クリッピングマスクを使うことで、簡単にそのオブジェクトだけに効果を加えることができます。方法はオブジェクトのすぐ上層に調整レイヤーを作成して、レイヤーパネルで調整レイヤーとオブジェクトのレイヤーとの間にマウスを合わせ、Alt キー＋クリックするだけです。レイヤーマスクを編集する必要がない効率的な方法です。

1　星の画像に文字が透けて見えるように表現したものです。少し複雑なレイヤー構造ですが、[ベベルとエンボス]のレイヤースタイルがついた「milky way」という文字レイヤーに、「天の川のコピー」レイヤーがクリッピングマスクにされています。この文字部分だけ明るくします。

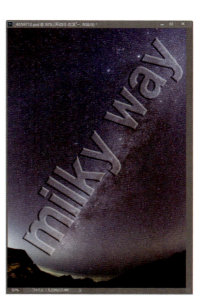

2　最上層に[トーンカーブ]の調整レイヤーを作成します。

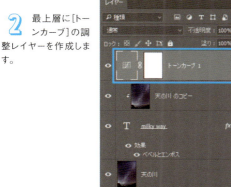

3 属性パネルで
トーンカーブを
明るく調整します。この
段階では画像全体が
明るくなります。

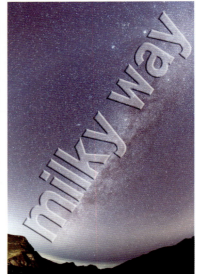

4 ［トーンカーブ］
調整レイヤー
とすぐ下の「天の川の
コピー」レイヤーとの間
にマウスを置いて、Alt
キー＋クリックします。

5 ［トーンカーブ］
調整レイヤー
にクリッピングマスクが
適用され、文字の部分
だけに効果がかかりま
す。「トーンカーブ1」と
「天の川のコピー」の
2つは、いずれも「milky
way」テキストレイヤー
に対してクリップされて
おり、その文字部分だ
けに効果が現れていま
す。

クリッピングマスクとレイヤーマスクを同時に使える?

↓

[もちろん同時に適用できる]

調整レイヤーをクリッピングマスクの状態にした上で、レイヤーマスクを利用することができます。この場合、結果的にクリッピングマスク内でレイヤーマスクが適用されることになります。通常レイヤーでもレイヤーマスクを追加して、クリッピングマスクと併用が可能です。

1　前項の作例を使います。クリッピングマスクになっている[トーンカーブ]のレイヤーマスクを選択しておきます。

2　[グラデーション]ツールを選び、描画色と背景色を黒と白として、種類は[線形グラデーション]にします。

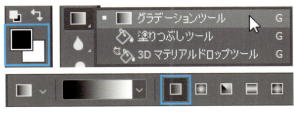

3　[グラデーション]ツールで図のようにドラッグすると、[トーンカーブ]で明るくした効果が徐々に弱まります。その際、クリッピングマスクとレイヤーマスクの相乗効果で、文字の部分だけ、明るさがグラデーション状に変化します。

[Point]

同様の効果はテキストレイヤーに対する[レイヤー効果]で[グラデーションオーバーレイ]を利用しても表現可能です。

調整レイヤーの効果を微妙に加減したい

［ レイヤーの［不透明度］を使う ］

調整レイヤーは、レイヤーパネルで調整レイヤーをダブルクリックすることで何度でも再調整ができます。調整をいちからやり直しをする、という場合はこの方法が向いていますが、ほんの少し効果を加減したいという場合は、調整レイヤーの［不透明度］を用いるのも便利です。最初は100%になっているので、その値を下げれば効果が弱まります。逆に、下げた値を上げればまた効果を強めることができます。

1 オリジナル画像と、［白黒］の調整レイヤーでモノクロ化した画像とそのレイヤーパネルです。調整レイヤーの［不透明度］は100%となっています。調整レイヤーの［不透明度］を下げることで調整レイヤーの効果を弱めることができます。

2 これらは［不透明度］を80%、60%、40%と変化させたものです。［不透明度］の値を下げていくのに従って、この作例ではモノクロ化の効果が弱まり色味が回復していきます。

［不透明度］80%

［不透明度］60%

［不透明度］40%

レイヤー操作でよく使うショートカットキー一覧

Ctrl + Z	（直前の操作の）取り消し（アンドゥ）
Ctrl + Alt + Z	［1段階戻る］で操作を遡って取り消し
Ctrl + K	［環境設定］ダイアログボックスを表示
Ctrl + G	［レイヤーをグループ化］
Ctrl + Shift + G	［レイヤーのグループ解除］
Ctrl + Alt + G	［クリッピングマスクを作成］
Ctrl + J	選択範囲をコピーした新規レイヤーを作成
Ctrl + Shift + J	選択範囲をカットして新規レイヤーを作成
Ctrl +]	レイヤーの重ね順を1つ前面に移動
Ctrl + Shift +]	レイヤーを重ね順を最前面に移動
Ctrl + [	レイヤーの重ね順を1つ背面に移動
Ctrl + Shift + [	レイヤーを重ね順を最背面に移動
Ctrl + E	［レイヤーを結合］（［下のレイヤーと結合］）
Ctrl + Shift + E	［表示レイヤーを結合］
/	レイヤーの透明ピクセルのロックまたは最後に適用したロック
Ctrl + /	レイヤーのすべてをロック
Ctrl + Shift + V	Win［同じ位置にペースト］／Mac［選択範囲内へペースト］
Ctrl + Alt + Shift + V	Win［選択範囲内へペースト］／Macなし
Shift + + または −	描画モードを順に切り替える
数値ボックスで ↑↓	数値を1ずつ上げる・下げる
数値ボックスで Shift + ↑↓	数値を10ずつ上げる・下げる

ショートカットキーは初期設定のものです。［編集］メニューにある［キーボードショートカット］（Ctrl + Alt + Shift + K）
で、初期設定のショートカットを変更したり、ショートカットがないコマンドに新たにショートカットをつけることができます。

Alt +]	1つ上のレイヤーを選択する
Alt + [	1つ下のレイヤーを選択する
Alt + Shift +]	上方向に複数のレイヤーを選択する
Alt + Shift + [	下方向に複数のレイヤーを選択する

X	[描画色と背景色を入れ替え]
D	[描画色と背景色を初期設定に戻す]
B	[ブラシ]ツールを選択
Ctrl + I	[階調の反転]でマスクの白黒を反転

Ctrl + T	[自由変形]（バウンディングボックスが表示される）
Spacebar	一時的に[手のひらツール]にして画面をドラッグして移動できる

Ctrl + クリック

▶ レイヤーマスクサムネール	選択範囲の呼び出し
▶ レイヤーパネルで複数レイヤー	複数レイヤーの選択
▶ グループフォルダーの左側矢印部分	すべてのフォルダーを閉じる・開く

Alt + クリック

▶ レイヤーパネルでレイヤーの境界	クリッピングマスクにする
▶ レイヤーパネルで目のアイコン	そのレイヤー以外を非表示にする
▶ レイヤーパネルの[新規レイヤーを作成]	[新規レイヤー]ダイアログボックスを表示
▶ レイヤーマスクサムネール	レイヤーマスクの表示
▶ ダイアログボックスの[キャンセル]	[初期化]（開いたときの設定に戻す）

Alt + ドラッグ&ドロップ

▶ [レイヤー効果]アイコン	レイヤースタイルのコピー
▶ レイヤーマスクサムネール	レイヤーマスクのコピー
▶ レイヤーを[新規レイヤーを作成]へ	[レイヤーを複製]ダイアログボックスを表示

Shift + クリック

▶ レイヤーパネルでリンクアイコン	リンクの一時無効
▶ レイヤーマスクサムネール	マスクの一時無効
▶ レイヤーパネルで複数レイヤー	複数の連続したレイヤーの選択

ツールを選ぶショートカットキーは、同じツールグループ内のツールを切り替えるにはShiftキーを併用しますが、環境設定（Ctrl + K）の[ツール]にある[ツールの変更にShiftキーを使用]のチェックを外せば、Shiftキーなしでグループ内のツールが切り替えられて便利です。

吉田浩章
Yoshida Hiroaki

Photoshopなどの画像処理ソフトやRAW現像ソフトなどの解説を主に手がけるフリーランスライター。Photoshopとはユーザーとして長い付き合いがあるだけでなく、ライターデビューをしたのもPhotoshopの解説書。今回、改めてPhotoshopに向き合い、やはりというか、今さらながらに機能と表現の奥深さに脱帽。Photoshopに終わりはない。

超時短Photoshop

ちょうじたん　フォトショップ
超時短Photoshop

「レイヤーとスタイル」
そっこう
速攻アップ!

2017年10月6日　初版　第1刷発行

[著　者]　吉田浩章
　　　　　よしだ　ひろあき
[発行者]　片岡　巌
[発行所]　株式会社技術評論社
東京都新宿区市谷左内町21-13
電話 03-3513-6150　販売促進部
　　　03-3267-2272　書籍編集部
[印刷／製本]　図書印刷株式会社

定価はカバーに表示してあります。
本書の一部または全部を著作権の定める範囲を越え、無断で複写、複製、転載、データ化することを禁じます。

©2017　吉田浩章

造本には細心の注意を払っておりますが、万一、乱丁(ページの乱れ)や落丁(ページの抜け)がございましたら、小社販売促進部までお送りください。送料小社負担でお取り替えいたします。

ISBN978-4-7741-9252-9　C3055
Printed in Japan

[アートディレクション]
藤井耕志(Re:D Co.)

[カバー&本文デザイン]
藤井耕志、萩村美和(Re:D Co.)

[編集]
和田 規

お問い合わせに関しまして

本書に関するご質問については、下記の宛先にFAXもしくは弊社Webサイトから、必ず該当ページを明記のうえお送りください。電話によるご質問および本書の内容と関係のないご質問につきましては、お答えできかねます。あらかじめ以上のことをご了承の上、お問い合わせください。なお、ご質問の際に記載いただいた個人情報は質問の返答以外の目的には使用いたしません。また、質問の返答後は速やかに削除させていただきます。

宛先:〒162-0846
東京都新宿区市谷左内町21-13
株式会社技術評論社　書籍編集部
『超時短Photoshop
「レイヤーとスタイル」速攻アップ!』係
FAX:03-3267-2269
技術評論社Webサイト
http://gihyo.jp/book/